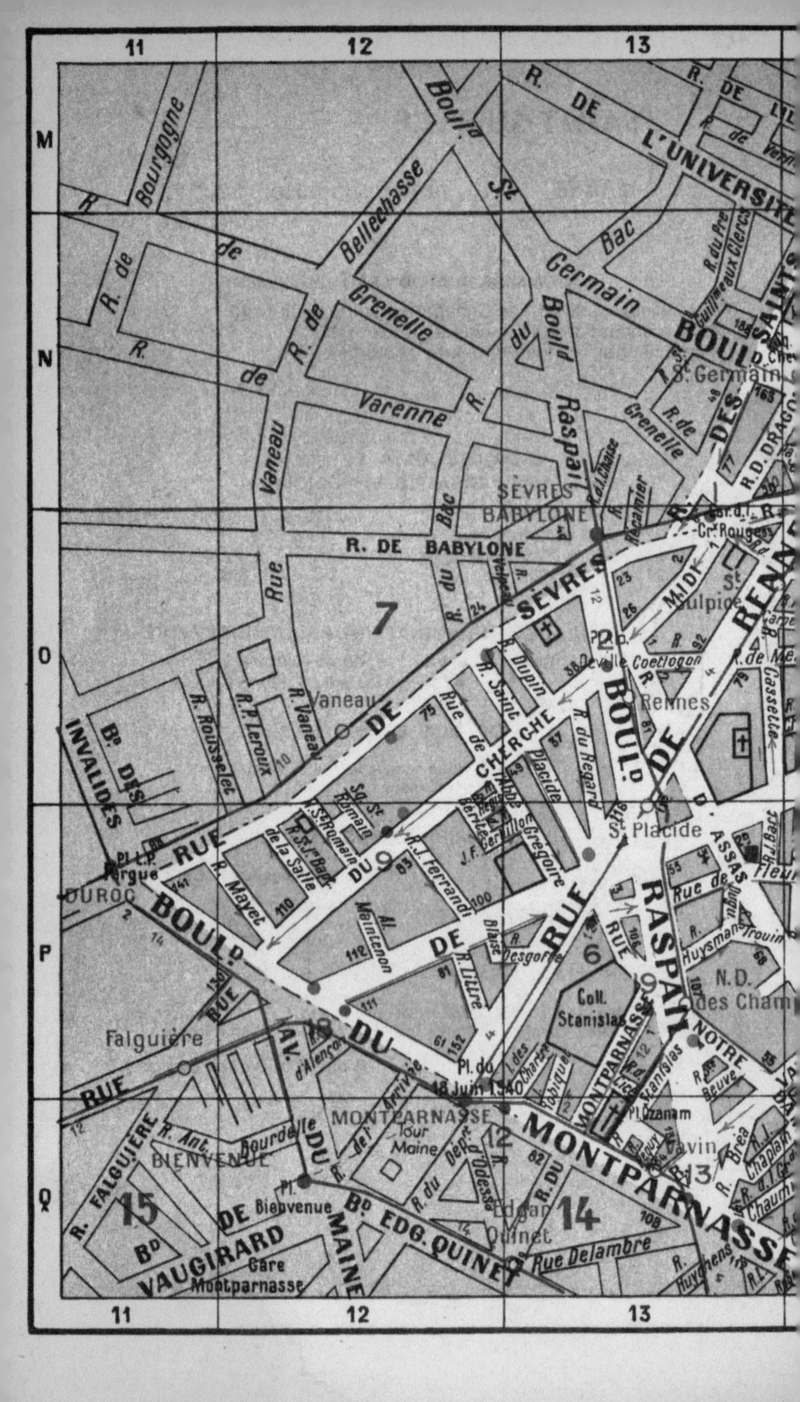
11
12
13
M
N
O
P
Q
R. Bourgogne
R. de Bellechasse
Boul.d St Germain
R. de L'UNIVERSITÉ
Bac
R. de Grenelle
R. de Varenne
R. Vaneau
R. du Bac
Boul.d Raspail
SÈVRES BABYLONE
R. DE BABYLONE
7
RUE DE SÈVRES
R. Dupin
R. du Regard
R. Rousselet
R. P. Leroux
Vaneau
INVALIDES
Bd DES
CHERCHE MIDI
BOUL.D DE RASPAIL
Rennes
St Placide
R. Mayet
R. Ferrandi
BOUL.D DU MONTPARNASSE
Falguière
RUE FALGUIÈRE
AV. DU MAINE
Coll. Stanislas
N.D. des Champs
NOTRE DAME
MONTPARNASSE
Tour Maine
Pl. du 18 Juin 1940
R. du Départ
R. d'Odessa
Edgar Quinet
Bd EDG. QUINET
14
15
Bd DE VAUGIRARD
Gare Montparnasse
Rue Delambre
Vavin
DUROC
BIENVENUE
Pl. Bienvenue
6
St Sulpice
R. D. DRAGON
Pl. Ozanam
11
12
13

14
15
16
M
N
O
P
Q
6e ARRONDISSEMENT
LUXEMBOURG
Echelle
0
500 M.
Limite de Quartier
Métro
Station
Correspondance
RER
JARDINS DU LUXEMBOURG
Palais du Luxembourg
Place du Panthéon
Ecole des Mines
BD. ST. MICHEL
GERMAIN
R. DES ECOLES
R. SOUFFLOT
VAUGIRARD
R. DE TOURNON
R. AUGUSTE COMTE
D'ASSAS
MALAQUAIS
Q. DE CONTI
Q. DES GRDS AUGUSTINS
Q. DES ORFEVRES
Q. DE L'HORLOGE
Q. DE CORSE
CHATELET
Cité
ODEON
JACOB
BONAPARTE
R. DAUPHINE
St. Sulpice
Sorbonne

Zu diesem Buch

„Die Nächte von St. Germain“ spielt im 6. Arrondissement von Paris. In den berühmten Literatencafés des Bezirks trifft Privatdetektiv Nestor Burma auf Schriftsteller und solche, die es sein möchten, aber ehrlich nie schaffen. So kommen sie auf andere Ideen...

Léo Malet, geboren am 7. März 1909 in Montpellier, wurde dort Bankangestellter, ging in jungen Jahren nach Paris, schlug sich dort unter dem Einfluß der Surrealisten als Chansonnier und „Vagabund“ durch und begann zu schreiben. Zu seinen Förderern gehörte auch Paul Éluard. Eines von Malets Gedichten trägt den bezeichnenden Titel „Brüll das Leben an“. Der Zyklus seiner Kriminalromane um den Privatdetektiv Nestor Burma – mit der reizvollen Idee, jede Folge in einem anderen Pariser Arrondissement spielen zu lassen – wurde bald zur Legende. René Magritte schrieb Malet, er habe den Surrealismus in den Kriminalroman hinübergerettet. „Während in Amerika der Privatdetektiv immer auch etwas Missionarisches an sich hat und seine Aufträge als Feldzüge, sich selbst als einzige Rettung begreift, gleichsam stellvertretend für Gott und sein Land, ist die gallische Variante, wie sie sich in Burma widerspiegelt, weitaus gelassener, auf spöttische Art eigenbrötlerisch, augenzwinkernd jakobinisch. Er ist Individualist von Natur aus und ganz selbstverständlich, ein geselliger Anarchist, der sich nicht von der Welt zurückzuziehen braucht, weil er sie – und sie ihn – nicht versteht. Wo Marlowe und Konsorten die Einsamkeit der Whisky-Flasche suchen, geht Burma ins nächste Bistro und streift durch die Gassen.“ („Rheinischer Merkur“)

1948 erhielt Malet den „Grand Prix du Club des Détectives“, 1958 den „Großen Preis des schwarzen Humors“. Mehrere seiner Kriminalromane wurden auch verfilmt; unter anderen spielte Michel Serrault den Detektiv Burma. In der Reihe der rororo-Taschenbücher liegen bereits vor „Bilder bluten nicht“ (Nr. 12592), „Stoff für viele Leichen“ (Nr. 12593), „Marais-Fieber“ (Nr. 12684), „Spur ins Ghetto“ (Nr. 12685) und „Bambule am Boul‘ Mich‘“ (Nr. 12769). Léo Malet lebt in Chatillon bei Paris.

Léo Malet

Die Nächte von St. Germain

Krimi aus Paris

Aus dem Französischen
von Hans-Joachim Hartstein

Rowohlt

Malets Geheimnisse von Paris

Les Nouveaux Mystères de Paris

Herausgegeben von
Pierrette Letondor und Peter Stephan

6. Arrondissement

Veröffentlicht im Rowohlt Taschenbuch Verlag GmbH,
Reinbek bei Hamburg, Juli 1990

Abdruck der Karte mit freundlicher Genehmigung der
Éditions L'INDISPENSABLE, Paris
Umschlagillustration Detlef Surrey
Umschlagtypographie Walter Hellmann
Gesamtherstellung Clausen & Bosse, Leck
Printed in Germany
780-ISBN 3 499 12770 9

Inhaltsverzeichnis

An den Leser

Dies ist ein Roman.
Aber kein Schlüsselroman.
Daran möge der Leser denken, damit er keine bedauerlichen Justizirrtümer begehe.
Die Figuren, gut gewappnet meiner Schreibmaschine entsprungen (gut bewaffnet wäre bei einigen das passendere Wort), dürfen in gar keinem Fall mit der einen oder anderen Person verwechselt werden, die in Saint-Germain-des-Prés zu Hause ist.
Mit folgenden Ausnahmen allerdings:
Monsieur Paul Boubal, Inhaber des Café Flore;
Pascal, Kellner in ebendiesem Lokal, und
Monsieur Henri Leduc, Geschäftsführer des „Echaudé“,
tatsächlich lebende Personen, die in diese blutige Geschichte hineinzuziehen wir uns erlaubt haben, wo sie – mit dem ihnen eigenen Talent und der Liebenswürdigkeit, für die sie bekannt sind – vielleicht nebensächliche, für den geordneten Ablauf der Handlung jedoch nicht weniger notwendige Rollen innehaben.

1.
Vom Heißen ins Kalte

Die Metro spuckte mich bei Saint-Germain-des-Prés aus. Ich schwamm sozusagen an die Oberfläche, so sehr schwitzte ich. Eine feuchte Juninacht, die Hauptstadt bedroht von einem vielverheißenden Gewitter, das nicht so recht in Gang kam.

Oben war es noch heißer als unter der Erde.

Im Schatten der Kirche erblickte ich das Licht des Boulevards und bahnte mir einen Weg durch die lärmende Menge der Weltbürger. Gleichgültig gegenüber dem antiken Kram, den der unermüdliche Straßenhändler Bernard Palissy von seinem Sokkel aus anbietet, schlenderten die Spaziergänger über den breiten Bürgersteig, entlang den Gittern der kleinen Grünanlage.

Die Luft war von verschiedenen Gerüchen erfüllt. Benzindämpfe und Teergeruch vermischten sich mit dem Duft von hellem Tabak und teurem Parfüm. Ganz wie Montmartre 1926, minus Château Caucasien. Langsam rollten prächtige Limousinen über die Fahrbahn, suchten ohne viel Hoffnung auf Erfolg einen freien Parkplatz. Auf ihrem Blech spiegelte sich das Neonlicht eines bekannten Cafés.

Zwei Caféterrassen wetteiferten mit entsprechender Promille um das regere Treiben: Die Terrasse des Mabillon, die bis hart an die Fahrbahn reichte, und die der Rhumerie-Martiniquaise, die sich mehr schlecht als recht auf ihrer leicht erhöhten Plattform hielt. Zwischen diesen beiden pupvollen Bistros, die aus allen Nähten platzten, erschien mir die schmale Rue de l'Échaudé wie eine kühle Oase der Ruhe. Auch Alfred Jarry war diese Gasse als Ort der Entleibung lieb und teuer gewesen. Über die Dächer der parkenden Autos winkte mir die bunte Lichterkette des Échaudé zu, der Snackbar von Henri Leduc. Ich nahm Kurs auf das winzige Lokal, das in bester 14.-Juli-Tradition beleuchtet war.

In der Bar war kaum eine Menschenseele. Konnte mir nur recht sein angesichts der Hitze und der Absicht, mit der ich gekommen war. Aber keine Sorge. Ich kannte den Laden. In einer oder zwei Stunden würden sie von überall hier antanzen.

Ich warf einen rechtwinkligen Blick nach links und rechts. Die Örtlichkeit erlaubte keinen Rundblick. Ein filmreifes Paar aß eine Kleinigkeit und erörterte Kleiderfragen. Am Nebentisch löffelte ein Herr mit verzückter Miene und affigem Benehmen ein Gericht, das mir nach Linsen aussah. Sehr würdig, Typ Modejournal, eingebildet wie eine Aspirin, die sich für eine Maxiton hält, dichtes weißes Haar, hageres Poetengesicht, verwüstet von der Inspiration – oder den Sorgen. Die Augen auf das Plakat von 1900 gerichtet, dachte er wohl gerade über sein Erstgeburtsrecht nach.

An der Theke würfelte Louis, korrekt wie immer in seiner blütenweißen Jacke, mit einem bärtigen Gast. Im Hintergrund dudelte ein unsichtbares Radio leise vor sich hin. Henri mit seinen flinken Äuglein hinter den goldumrandeten Brillengläsern stand an der Kasse und rechnete, ein volles Glas in Reichweite der Hand, die nicht den Bleistift hielt.

Zusammen mit dem allseits bekannten Pascal, dem geduldigen, freundlichen Kellner des Flore, ist Henri Leduc einer der originellsten und sympathischsten Figuren von Saint-Germain-des-Prés. Er kennt dieses Viertel nicht erst seit gestern. Der ehemalige Sekretär einer avantgardistischen Theatergruppe und Leiter eines Cabarets hat als Schauspieler in mehreren Filmen mitgewirkt. Daneben war er der „erste intellektuelle Barkeeper". Ohne diese ehrenwerte Gesellschaft ärgern zu wollen, muß man zugeben, daß er sich von dem übrigen Haufen abhob. Nie um eine ironische Antwort verlegen, voll von komischen Geschichten. Hat dermaßen viele Einnahmequellen, daß er beinahe eine Sondersteuer zahlen müßte. War Erster Barkeeper im Club Saint-Germain in der Rue Saint Benoît, nachdem er die Bar Cher Ami eröffnet hatte, die inzwischen Echelle de Jacob heißt. Trotzdem ist er auf dem Teppich geblieben; man kann sagen, Saint-

Germain-des-Prés kennt er wie seine Westentasche. Und er ist der Meinung, daß der Ruhm des Viertels nicht so bald vergehen wird. Das hat er einmal einem Gast erklärt, der ihm nicht gefiel. *Ja, Monsieur*, hat er ihm unter die Nase gerieben, *so lange hier in Saint-Germain-des-Prés Rindviecher zum Melken rumlaufen, ist bei uns alles in Butter.* Was den Nagel auf den Kopf traf.

Ich ging zu ihm und unterbrach seine Rechnerei.

„Salut, *Duc*", begrüßte ich ihn.

Er sah auf, reichte mir die Hand, hieß mich willkommen und fragte, wie's ging.

„Gar nicht", seufzte ich.

„Und die Leichen, geben die was her? Ich mein zahlenmäßig."

„Ich bin seit zwei Monaten über keine einzige gestolpert, wenn ich so sagen darf."

Leduc runzelte die Stirn.

„Schlimm, schlimm. Du solltest einen Arzt aufsuchen."

„Am besten einen vom Gericht. Kenn die Antwort im voraus... Sag mal, kriegst du keinen Durst von deinem blöden Gequatsche?"

„Doch. Gibst du einen aus?"

„Louis", rief er und feuerte Block und Bleistift zurück in die Schublade, „haben Sie gehört? Her mit den Gläsern. Nestor Burma scheint gut bei Kasse zu sein. Passiert nicht so häufig. Muß man ausnutzen."

Louis ließ seine Würfel im Stich und bewegte sich auf uns zu, auf dem Tablett alles Nötige für die Kehle.

„Guten Abend, M'sieur Burma", sagte er und goß ein. „Wie geht's?"

„Geht so."

Ich wischte mir mit dem Taschentuch die Stirn ab.

Verdammte Scheiße!" schimpfte ich. „Kann's bald nicht mehr haben."

„Was, M'sieur? Die Hitze? Normal für die Jahreszeit..."

„Sagt mein Frisör auch immer. Ich meine die Hammelherde auf dem Boulevard. Dieser Rummel, der ständige Zirkus..."

„Ach, das“, lachte Henri. „Wir haben das Dorf noch ruhiger erlebt, hm?“

Er ließ seine Stimme gekonnt zittern.

„... Zu unserer Zeit...“

Dann wieder mit normaler Stimme:

„Du siehst, ich quassel schon daher wie ein Akademiemitglied. Auf dein Wohl.“

Wir stießen an und leerten unsere Gläser in einem Zug. Louis war wieder bei seinen Würfeln. Henri schnappte sich die Flasche und schenkte die nächste Runde ein.

„Siehst du noch manchmal Freunde von früher?“ fragte ich ihn.

„Häufig. Zwangsläufig. Hier trifft man sich ja. Und du?“

„So gut wie nie. Bei meiner Arbeit...“

Er zuckte die Achseln.

„Jeder hat seine Arbeit, jaja. Man verändert sich. Die einen sind verheiratet, Familienväter...“

„Einige kommen nach oben, andere sind endgültig weg. Besser, man weiß nicht, wohin“, alberte jemand hinter mir.

Ich drehte mich zu dem Kerl um, der soeben hereingekommen war und sich einfach in unser Gespräch eingemischt hatte. Noch jung, aber schon verbraucht, müde, schlecht rasiert, mit breitem Scheitel, dabei sehr ärmlich gekleidet, eine gelbliche Kippe im Mund. Seine Augen stierten uns halbbesoffen an, er schwankte auf dünnen Beinchen.

„Tintin!“ rief ich.

„Da biste platt“, erwiderte er. „Haben uns schon seit ’ner Ewigkeit nicht mehr gesehen, hm?“

„Ja, stimmt.“

Etwas einsilbig, aber mir war mit einem Mal die Spucke weggeblieben. Verlegen sah ich ihn an. Martin Burnet! Hatte ihn vor fünf oder sechs Jahren aus den Augen verloren. Von dem fröhlichen Freund von damals war nicht mehr viel übriggeblieben. In seinen Augen stand geheuchelte Trauer.

„Ja, ja“, wiederholte ich.

„Brauchst mich gar nicht so zu bedauern“, knurrte er. „Ihr seid mir alle scheißegal.“

„Red keinen Quatsch, Tintin", mischte sich Henri versöhnlich ein. „Suchst du jemanden?" fragte er dann, nur um das Thema zu wechseln.

„Jawohl", nickte Tintin. „Monsieur Germain Saint-Germain. Soll unanständige Angebote für mich haben."

„Er sitzt gerade da hinten und ißt was."

„Prima. Bei meinem Anblick wird ihm vielleicht der Appetit vergehen..."

Tintin wirbelte herum und hätte sich fast an der gefährlichen Stufe, die aus unerfindlichen Gründen Leducs Lokal unterteilte, den Hals gebrochen. Er hielt sich noch rechtzeitig am Garderobenständer fest, ging dann zu dem einsamen Gast.

Ich trank aus.

„Noch mal das gleiche, *Duc*", sagte ich.

Er kam der Aufforderung nach, vergaß auch sich selbst nicht.

„Ist ja unglaublich!" stieß ich hervor, nachdem ich einen Schluck genommen hatte. „Was ist mit ihm passiert?"

Henri nahm die Brille ab und fing an, sie zu putzen. Dabei beugte er sich über die Theke.

„Suzy Desmoulins."

„Ach ja, Suzy Desmoulins, ich weiß. Die beiden haben zusammen geschlafen, stimmt's?"

„Diesem Nestor entgeht aber auch nichts", lachte er. „Jetzt stehen hundertfünfzig oder zweihundert Millionen zwischen ihnen. So ist das."

„Was juckt ihn das? Tintin war doch früher nicht eifersüchtig. Sollte er's geworden sein?"

„Viel komplizierter. Hast du schon mal erlebt, daß bei Tintin etwas einfach ist? Das war nämlich so, mein Lieber: richtig melodramatisch. Sie schliefen zusammen, beide völlig pleite. Sie spielt in zweitklassigen Filmen mit, und eines Tages entdeckt sie ein Produzent."

„Hat ein hübsches Gesicht."

„Anscheinend ist dem Produzenten nicht das Gesicht als erstes aufgefallen."

„Macht nichts. Kommt aufs gleiche raus."

„Tja, kommt wirklich aufs gleiche raus. Sofort gibt er ihr die Hauptrolle in seinem neuen Film. Glaubst du an Wunder?“

„Ab und zu.“

„Also, seit dem Tag glaub ich dran. Verdammt nochmal, ich weiß doch, wozu sie fähig war, diese Suzanne: Schlecht war sie, will ich dir wohl sagen! Aber dann so was, unter aller Sau! Wir hatten uns getäuscht. Seit sie ihre Chance hatte – die Rolle war ihr auf den Leib geschrieben –, hat sie nur Mist gemacht...“

„Ich weiß. Jetzt steht sie ganz oben an der Spitze. Hat sogar einen Film in Hollywood gedreht...“

„Zwei.“

„Und überall ist von ihr die Rede.“

„Hat bestimmt zweihundert Millionen auf ihrem Konto.“

„Und Tintin? Mit dabei?“

„Guckt in die Röhre.“

Ich schüttelte den Kopf.

„Die Millionen sind ihm scheißegal. Ich kenn doch Tintin. Das hat ihn bestimmt nicht aus der Bahn geworfen.“

„Du hast ihn aber seit ein paar Jahren nicht mehr gesehen. Ich seh ihn häufiger. Stimmt aber, nicht die Millionen seiner Ex-Geliebten haben ihm den Hals gebrochen. Nicht daß er kein Kleingeld nötig hätte. Andere wären zu Suzanne gegangen, um sie anzupumpen. Und die Kleine hätte bestimmt auch was rausgerückt. Aber er doch nicht! Zu stolz, zu kompliziert. Er spielt den Unglückswurm. Da tut einem der Verstand weh, aber so ist das nun mal. Hab's sofort kommen sehn. Suzy kam nach oben, und er sackte ab in die Scheiße. Freiwillig, jedenfalls so gut wie. Hält sich für einen Versager. Vielleicht hat er gar nicht mal so unrecht damit. Rührt aber keinen Finger, um das Urteil zu ändern. Gefällt sich darin, auf dem letzten Loch zu pfeifen. Ausgelutscht wie 'ne Zitrone. Das sag ich dir als Limonadenverkäufer, und ich glaub, ich täusch mich nicht.“

„Hm“, brummte ich. „Hast du nicht vor dem Krieg in 'ner Schnulze mitgespielt, zusammen mit Roger Blin und Georges Vitsoris?“

„Ja. *Marie-Jeanne oder das Mädchen aus dem Volk*. Aber deswegen mein ich das nicht. Im wirklichen Leben gibt's genug Melodramen, mehr als man meint! Das muß ich nicht ausgerechnet dir erzählen."

„Großer Gott! Warum macht sich Tintin das Leben denn so schwer? Er ist doch kein Russe..."

„Er ist aus Asnières. Aber Russe oder nicht, ich erzähl dir nur das, was ich gesehen hab."

In diesem Augenblick kam Tintin wieder an die Theke. Einen Fuß auf der berüchtigten Stufe, den andern tiefer, lehnte er sich gegen den Garderobenständer und posaunte mit ausgestreckten Armen:

„Monsieur Germain Saint-Germain, sie sind ein dreckiges altes Arschloch."

Dann ging er an uns vorbei, gerade so als wären wir gar nicht da, zur Tür, hinaus in die dunkle schwüle Nacht. In die plötzlich eingetretene Stille hinein klirrte eine Gabel auf einem Teller. Das Gluckern einer Flasche sagte mir, daß sich jemand zur Beruhigung was nachgoß. Sanft rollten die Würfel auf dem kleinen grünen Filzläufer. Im Hintergrund das leise Gedudel des Radios und das seidenweiche Summen des Ventilators.

Henri brach den Zauber.

„Ab durch die Kulissen, Vorhang", bellte er mit der Stimme des Heldenvaters. „Monsieur Martin Burnet gab sich soeben selbst ein Schauspiel."

„Der tickt doch nicht richtig", bemerkte Louis und würfelte.

„Noch ein Gläschen?" schlug Leduc vor.

Ich sah auf die Uhr.

„Hab noch Zeit für zwei."

Ich wollte das Gespräch mit einer Frage an Henri fortsetzen, als ein Stuhl zurückgeschoben wurde. Kurz darauf stand der weißhaarige Linsenfresser neben mir. Sein linkes Augenlid zuckte in dem ausgemergelten, ekstatischen Poetengesicht. Bestimmt ein Tick. Er lächelte mich an und entblößte eine Reihe strahlend weißer, spitzer Zähne.

„Entschuldigen Sie", sagte er mit einer schönen sonoren Stimme, „aber auf diesem engen Raum ist es schwierig, nicht indiskret zu sein, ob man will oder nicht. Jemand hat Ihren Namen genannt, und ... Sie sind Nestor Burma?"

„Höchstpersönlich."

Er verbeugte sich.

„Germain Saint-Germain", stellte er sich vor.

„Germain Saint-Germain?" wiederholte ich.

Sein Lächeln wurde noch herzlicher.

„Monsieur Burnet hat mich soeben öffentlich als dreckiges altes Arschloch bezeichnet", sagte er liebenswürdig. „Damit Sie mich nötigenfalls besser einordnen können."

„Offen gesagt", erwiderte ich lachend, „über diese Würdigung hab ich gar nicht nachgedacht. Ihr Name erscheint mir nur etwas sonderbar."

„Sagt er Ihnen nichts?"

„Überhaupt nichts."

„So ist das mit dem Ruhm", seufzte er mit gespielter Ironie. „Da schreibe ich einen Roman, von dem fünfhunderttausend Exemplare verkauft werden, und Monsieur Burma kennt mich nicht!"

„Wie heißt der Roman?"

„*Nur eine Viertelstunde für die Liebe*."

„Werd wohl davon gehört haben ..."

Sein nervöser Tick machte sich wieder bemerkbar.

„Geben Sie sich keine Mühe, es lohnt nicht. Mein richtiger Name vielleicht ..."

„Bergougnoux", warf Henri ein. Obwohl er sich wieder über seine Rechnerei gebeugt hatte, entging ihm nichts.

„Bergougnoux?" echote ich.

„Mein richtiger Familienname", bestätigte Germain Saint-Germain. „Albert Bergougnoux. Ein häßlicher Name. Die beiden identischen Silben machen ihn nicht gerade hübscher. Sie müssen zugeben, Bergougnoux ist kein brillanter Name. Für meine Werke mußte ein anderer her."

Meine Werke, die Worte klangen recht eigenartig. Ich fragte mich, ob er überhaupt noch atmen konnte, so voll hatte er den Mund genommen.

„Warten Sie...", sagte ich und tat aus Höflichkeit so, als kramte ich in meinen Erinnerungen.

Anscheinend hatte der Meister nicht viel Zeit. Er half mir auf die Sprünge:

„Wir waren beide häufiger im Flore, manchmal saßen wir am selben Tisch. Wir haben sicher viele gemeinsame Freunde."

„Möglich", räumte ich ein, wenig überzeugt.

„Bestimmt!" sagte er entschieden.

Und er nannte mir ein paar Namen. Louis Chavance, Prévert, Loris, Christiane Lénier, Jean Rougeul, Tony Gonnay usw. usw. Von mir kam nur zögerndes Kopfnicken. Dann sagte er:

„Jedenfalls, ich habe Sie nicht vergessen..."

Und er fügte hinzu:

„... Und was haben Sie aus diesem Hundeleben gemacht?"

Wissen Sie's nicht?"

„Keine Ahnung."

Ich lachte.

„Dann sind wir ja quitt, Monsieur Saint-Germain. Ich wußte nicht, daß Sie unter die Bestsellerautoren gegangen sind, und anscheinend wissen auch Sie nicht, welch Ansehen mir eignet... so sagt man doch, oder?"

„Wenn man unbedingt will. Ich bin kein Sprachfetischist."

„Ich bin nämlich auch berühmt. Na ja, in gewissen Kreisen. Allerdings in einer anderen Branche."

„In welcher?"

„Monsieur Burma ist Privatdetektiv", mischte Henri sich wieder ein. Hatte schon immer viel Talent für Nebenrollen.

„Privatdetektiv?" rief der Schriftsteller. „Aber das ist doch bestimmt aufregend."

„Sehr. Vor allem, wenn man eins mit dem Knüppel drüberkriegt."

„Passiert Ihnen das oft?"

„Kann nicht meckern."

Er streckte mir die Arme entgegen, so als wollte er mich an seine väterliche Brust drücken.

„Mein Teuerster, gestatten sie, daß ich Sie, eingedenk der

guten alten Zeit, an meinen Tisch bitte. Verwehren Sie mir nicht den Wiedersehenstrank!"

Ich sah wieder auf meine Uhr.

„Ein paar Minuten hab ich Zeit für Sie", sagte ich großzügig. „Die Frau, die ich erwarte, müßte schon längst hier sein."

„Sie können ebensogut an meinem Tisch warten", sagte Germain Saint-Germain. „Und die Dame wird Sie hier schon bemerken. Im Échaudé kann man sich nicht so leicht verfehlen."

„Wen erwartest du denn?" erkundigte sich Leduc.

„Marcelle."

„Marcelle? Welche? Die Dunkle oder die Blonde?"

„Die Dunkle. Sag mir Bescheid, wenn sie da ist."

Ich folgte dem Schriftsteller an seinen Tisch. Die Tischdecke war mit nervös gekneteten Brotkügelchen übersät und mit Weinflecken verziert. Mein Gastgeber rief den Kellner, der für die Tische zuständig war. Eilig nahm dieser die Bestellung auf und brachte uns das Gewünschte. Das filmreife Paar am Nebentisch spielte die Szene „Küssen bis zum Umfallen". Offensichtlich hatte keiner von beiden Asthma. Das Licht der Wandlampe fiel jetzt direkt auf Saint-Germains Gesicht. Ich betrachtete ihn genauer. Ging mich zwar einen Dreck an, aber ich tat es ganz automatisch. Ein dichtes Netz von Fältchen überzog Stirn und Schläfen. An den Augen Krähenfüße. Seine grauen Augen, so beweglich wie die eines Nachtvogels, spiegelten eine unerklärliche Verwirrung wider. Vielleicht nahm er Drogen, wie so viele seiner Kollegen. Zu behaupten, daß dieser Mann mir völlig egal war, wäre gelogen. An dem Abend trieb ich mich zwar nicht hier rum, um mir anzuhören, wie ein aufgeblasener Schriftsteller sich an seinen eigenen Worten berauschte. Ich hatte Wichtigeres zu tun. Wär aber trotzdem nicht böse gewesen, wenn ich erfahren hätte, warum Tintin ihn in aller Öffentlichkeit und so leidenschaftlich beleidigt hatte. Wo Tintin doch von Natur aus äußerst vornehm und höflich war, jedenfalls früher! Der Alkohol erklärte nicht alles. Da mußte noch was anderes sein. Irgendwie hatte dieser Saint-Germain wohl das Faß zum Überlaufen gebracht. Wie und warum – vielleicht konnte ich das im

Gespräch erfahren. Auf jeden Fall wurde mir so die Zeit nicht lang. Ich war selbst auch etwas nervös. Und nicht mehr weit davon entfernt, blau zu werden. Was ich an der Theke geschluckt hatte und jetzt hier am Tisch noch draufgoß, dazu diese drükkende Hitze und die Arbeit, die heute noch auf mich wartete – all das zeigte bei mir so langsam Wirkung. Ganz schön blöd von mir, ein paar Stunden vor einer kniffligen Aufgabe meinem Hang zum Suff nachzugeben! Ich nahm mir vor, mich mit schwarzem Kaffee wieder in Ordnung zu bringen, bevor ich abhaute. Inzwischen konnte ich ja nett mit meinem Gastgeber plaudern. Gerade wollte er mehr über meine Arbeit wissen.

„Ich hab schon oft von Privatdetektiven gehört“, begann er, „aber ich hatte noch nie Gelegenheit, einen von nahem zu sehen. Für einen Schriftsteller ist das vielleicht unverzeihlich, aber ich kann es nicht leugnen. Wir können schließlich nicht alles wissen und kennen. Worin genau besteht nun eigentlich Ihre Tätigkeit?“

„Vor allem beschatten wir Ehemänner auf Kosten ihrer Frauen und Ehefrauen auf Kosten ihrer Männer“, klärte ich ihn auf. „Manchmal geht es auch weiter. Wenn man mit den Ermittlungen beginnt, weiß man nie, auf welche Abwege einen das führt.“

„Ich verstehe...“

Sein Gesichtsausdruck wurde mit einem Mal so konzentriert wie die Milch, die die schönsten Säuglinge der Welt hervorbringt.

„... Interessante psychologische Fälle? Sie müssen verstehen, ich bin Schriftsteller...“

„Das Leben ist sicher komplizierter und hält mehr Überraschungen bereit als alles, was Sie in Ihre Bücher packen können“, sagte ich. „Und es ist auch geheimnisvoller. Nicht wahr, hm? Sie haben Ihre Phantasie, Sie ziehen Schlußfolgerungen. Das Leben zieht keine Schlußfolgerungen.“

„Sehr richtig“, stimmte er mir zu.

In diesem Augenblick fiel ein halbes Dutzend Touristen lärmend in das Lokal ein. Ich war gezwungen, näher an den Tisch heranzurücken, damit sie hinter mir Platz nehmen konnten. Ich mußte lachen.

„Was erheitert Sie so?“ fragte mich der Schriftsteller.

„Der Anblick der Amerikaner. Ich dachte gerade, für Saint-Germain-des-Prés hatten Mädchen in Männerhosen dieselbe Wirkung wie Kleopatras Schönheit für die Welt.“

„Aber klar!“ rief er. „Was Sie da sagen, stimmt genau!“

„Nicht wahr? Das hat zwar nicht das Gesicht der Welt verändert, aber immerhin die Atmosphäre in diesem Viertel. War früher eher familiär und kleinbürgerlich. Jetzt kennt man es in den hinterletzten Winkeln des Erdballs. Und das von dem Tag an, als ein junges Mädchen kein Geld hatte, um zum Frisör zu gehen und sich bei *Uniprix* in der Rue de Rennes einen Rock zu kaufen und sich stattdessen von einem Freund die Hose auslieh.“

Er sah mich lächelnd an.

„Sie sind ein interessanter Gesprächspartner“, stellte er fest. „Sind alle Privatdetektive so?“

Ich lächelte zurück.

„Ich bin in jeder Hinsicht eine Ausnahme.“

„Und wie erklären Sie sich das Höhlenphänomen? Ich meine dieses Bedürfnis der jungen Leute, in Kellern zusammenzukommen, um dort zu diskutieren und Musik zu machen.“

Er wollte mir wohl auf den Zahn fühlen.

Ich erwiderte:

„Sehnsucht nach Bombenalarm oder so was. Mitten in der Nacht in den Keller hinabsteigen, dazu die düsteren Sirenen ... war manchmal eine ziemlich günstige Gelegenheit, seine Nachbarin zu befummeln oder Reize bei ihr zu entdecken, die bis dahin ängstlich verborgen geblieben waren. Sie wollen die gute alte Zeit wieder aufleben lassen. Und dann kreuzen die Journalisten auf und lassen sich darüber aus, und hopp! Fertig ist das Viertel mit dem neuen Lebensgefühl.“

Er legte seine feingliedrigen weißen Hände mit den schmalen Fingern und den polierten Nägeln auf den Tisch und machte es sich auf seiner Sitzbank bequem. Sein schneeweißes Haar streichelten die Brüste der Frau auf dem Plakat von Bec Auer, die sie ohne besonderen Grund an die frische Luft hielt.

„Ich bedaure es nicht, das Gespräch mit Ihnen wiederaufgenommen zu haben“, bemerkte er theatralisch. „Sie sind amüsant.“

„Und ich werd Ihnen noch was sagen“, fuhr ich fort. „Etwas, worüber ich mir schon seit langem den Kopf zerbreche und was ich nicht einordnen kann. Mein Beruf hilft mir da nur wenig weiter. Vielleicht können Sie die Idee ja in einem Ihrer Bücher verarbeiten.“

Er runzelte die Stirn, plötzlich ärgerlich und mißtrauisch.

„Sie müssen nicht glauben, daß ich Ihnen Ideen verkaufen will“, beruhigte ich ihn. „Sie haben sicher genug davon ... Aber ich hab was entdeckt ... ganz hübsch, finde ich. Ich kann einfach nicht der Versuchung widerstehen, es Ihnen mitzuteilen. So bin ich nun mal. Wissen Sie, daß im 6. Arrondissement die meisten Frauen rumlaufen, die sich als Mann verkleiden, und die meisten Männer, die Frauenkleider tragen? Damit mein ich natürlich nicht die Schotten.“

„Natürlich nicht. Die Priester?“

„Ganz genau.“

„Sehr komisch!“ Er lachte schallend auf. „Ehrlich gesagt, ich kann Ihnen nicht versprechen, das nicht doch irgendwo zu verwenden.“

„Wie Sie wollen.“

„He, Nestor!“ rief Henri und beugte sich über die Theke. „Deine Maus ist da.“

„Ich komme.“

Ich stand auf.

„Entschuldigen Sie mich bitte, aber ich seh mich gezwungen, meine brillanten Einfälle hier enden zu lassen.“

Ich reichte Germain Saint-Germain die Hand.

„Auf Wiedersehen, Monsieur Burma. Viel Vergnügen noch. Hat mich sehr gefreut, Sie wiedergetroffen zu haben.“

Ohne seine Hand loszulassen, fragte ich ihn:

„Darf man erfahren, warum Martin Burnet Sie eben so grob beschimpft hat?“

„Ich hatte ihm Geld angeboten."

„Und er hat es nicht angenommen, stimmt's?"

„Genau."

„Geld war ihm schon immer scheißegal", sagte ich.

„Der Glückliche", brummte der Schriftsteller. „Auf Wiedersehen, Monsieur Burma."

„Auf Wiedersehen."

Ich ging an die Theke. Marcelle wartete vor einem Weinbrand auf mich. Ein kleiner dunkelhaariger Struwwelpeter, wie man sie hier im Viertel massenhaft sieht. Sie allerdings hatte von Natur aus so eine widerspenstige Löwenmähne. Ihre Gesichtszüge waren hart. Kein Make-up. Das Leben hatte es nicht besonders gut mit ihr gemeint; deshalb sah sie es gar nicht ein, warum sie sich einseitig bemühen sollte. Ein nettes Mädchen, schlug sich mehr schlecht als recht durch, indem sie die Studios abklapperte. War alles andere als häßlich, dazu recht gut gebaut. Ich kannte sie seit rund zwei Jahren. Das erste Mal hatte ich sie, glaub ich, hier im Échaudé getroffen. Gestern hatte ich wieder Kontakt mit ihr aufgenommen, nachdem ich sie acht oder neun Monate nicht mehr gesehen hatte. Sie wohnte immer noch – ein Glück für mich, ein gutes Vorzeichen! – im Diderot-Hôtel auf dem Boulevard, hinter der Statue des Enzyklopädisten. Wir verließen die Snackbar und gingen zu ihr ins Hotel.

Draußen war es immer noch warm. Aber einige dicke Regentropfen zerplatzten auf dem Bürgersteig. Mit etwas Glück würde es bald ein Gewitter geben. Außer den parkenden Autos war der Boulevard beinahe leer. Auf den Terrassen der Cafés saßen immer noch dichtgedrängt schwitzende Gäste.

Wir überquerten die Fahrbahn und verschwanden im Diderot-Hôtel. Die Halle lag im Halbdunkel. Hinter einer halbhohen Theke döste ein Nachtportier vor sich hin. Die Schweißperlen auf seiner Glatze schillerten in dem jämmerlichen Licht einer schwachen Birne, die über dem Schlüsselbrett hing. Marcelle nahm ihren Zimmerschlüssel, ohne daß der Kerl sich bewegte oder irgendwas bemerkte. Vielleicht hatte ich mir völlig unbegründet Sorgen gemacht. Hier ging's anscheinend zu wie in 'nem Taubenschlag.

Der Teppich auf der Treppe verlangte stellenweise dringend nach Erneuerung. In der ersten Etage kamen uns drei Schwarze entgegen, die sich um den Schlaf ihrer Nachbarn herzlich wenig zu kümmern schienen. Den Lärm als lautes Gequatsche zu bezeichnen, wäre stark untertrieben. Unterm Arm schleppten sie Musikinstrumente. Hatten wohl gerade an einer Art *Jam Session* in der Bude eines Freundes teilgenommen. Unten in der Hotelhalle verspürte einer von ihnen das Bedürfnis, den Nachtportier mit einem schrillen Trompetenton zu wecken. Nach ein paar derben Flüchen war wieder Ruhe. Inzwischen waren wir in der dritten Etage angelangt. Hier hauste Marcelle in einem sauberen, aber unpersönlichen Zimmer. Ein Hotelzimmer wie tausend andere. Sehen alle gleich aus.

Meine Freundin knipste das Licht an und zog die Vorhänge zu. Dann setzte sie sich auf ihr knarrendes Bett und knöpfte ihre Bluse auf.

„Was machst du denn da?“ fragte ich.

„Ich zieh mich aus.“

„Halt dich bedeckt, wir haun gleich wieder ab.“

Ich angelte aus meiner Brieftasche einen Fünftausender. Zögernd nahm sie ihn.

„Versteh ich nicht“, sagte sie, den Kopf gesenkt.

Ich faßte sie am Kinn.

„Bist ein nettes Mädchen. Laß dir deswegen keine grauen Haare wachsen.“

Sie machte sich los. Ich tätschelte ihr die Wange. Dann ging ich zur Tür.

„Wohin?“ fragte sie.

Ich drehte mich zu ihr um.

„Zu meinem Klienten. Hab dir doch gestern davon die Ohren vollgequatscht.“

„Und ich dachte, das wär nur ’n Vorwand.“

„Ganz im Gegenteil, mein Schatz. Bin rein dienstlich hier, ob du’s glaubst oder nicht. Überstunden mit Nachtzulage. Wird ganz schön teuer. Und dich hab ich als freie Mitarbeiterin angeheuert.“

„Schön. Also, was soll ich tun?“

„Warten, bis ich zurück bin. Wenn ich mit meinem Burschen fertig bin, zwitschern wir ab. Ich könnte zwar versuchen, alleine an eurem Nachtwächter vorbeizukommen, aber wenn er grad mal nicht schläft... Also, bis gleich.“

Ich ging über den dunklen Flur zur Treppe und dann in die vierte Etage. Im Haus herrschte völlige Ruhe. Als ich aber in den Korridor einbog, hörte ich lautes Geschnarche, so als hätte ich es durch meine Schritte ausgelöst. Das majestätisch laute Geschnarche endete manchmal in Gepfeife, wie von Lokomotiven, unterbrochen von Knurren und Nebelhorn. Ein Besoffener schlief seinen Weinrausch aus und machte sich über die *Nationale Liga gegen den Alkoholismus* lustig, die gleich um die Ecke ihren Sitz hat. Mit Hilfe einer einsamen Nachtleuchte konnte ich mühsam die Zimmernummern entziffern. Nummer 42. Genau das Zimmer suchte ich. Ich legte mein Ohr an die Tür und horchte. Das Geschnarche erfüllte das ganze Hotel, die Wellen schlugen hoch. Man konnte es nicht genau lokalisieren. Gut möglich, daß Monsieur Charlie Mac Gee der Urheber war. Er mußte sich in seiner Bude langweilen wie eine Brotkruste unterm Schrank. Na ja... Mit einem Glas fängt's an, und dann wird's doch ein Liter. Hätte ihn allerdings für solider gehalten.

Kein Schlüssel im Schloß. Ich klopfte leise. Keine Reaktion. Das Schnarchen änderte die Tonlage, wurde noch durchdringender. Wahrscheinlich hatte sich der Schlafende auf die andere Seite gedreht. Ich klopfte noch mal. Nichts. Selbst das Geschnarche pfiff drauf. Mit monotoner Gleichmäßigkeit wurde weitergesägt. Also fuhr ich schwerere Geschütze auf. Schließlich wurde ich erwartet. Mein Spezial-Pfeifenbesteck trat in Aktion. Das Schloß sagte ‚Klick‘. Ich konnte eintreten.

Ganz schöner Gestank, da drin. Ein Gemisch aus verbrauchter Luft, kaltem Tabakrauch, Schweiß und billigem Parfüm. Darüber lag noch ein anderer Geruch, undefinierbar, zum Kotzen. Die Hitze tat ihr übriges. Und wieder das Schnarchen, jetzt allerdings gedämpft. Irgendwo, ganz nah, tropfte ein Wasserhahn. Ein ständiges Gluckern ließ die Rohrleitungen vibrieren. Das

Gebäude erzitterte vom Dach bis zum Keller.

Weder Decken- noch Nachttischlampe brannten. Nur die Neonbeleuchtung des Hotels schickte in regelmäßigen Abständen einen blutroten Schein durch die schlecht zugezogenen Vorhänge ins Zimmer. Bei einem dieser kurzen Blitze entdeckte ich einen Mann auf dem Bett, vollständig angezogen. Der rechte Arm baumelte runter auf den Bettvorleger. Ein langer Arm.

Ich näherte mich dem Gast von Zimmer 42. Das Schnarchen kam nicht von ihm. Wenn er's früher getan hatte, so würde er's nicht wieder tun. Nie wieder.

2.
Pech gehabt

Auf leisen Sohlen ging ich zum Fenster und zog erstmal die Vorhänge ordentlich zu. Dann knipste ich das Licht an, immer darauf bedacht, bloß keine Fingerabdrücke zu hinterlassen. Die helle Deckenlampe ließ mich blinzeln.

Mein Hemd klebte mir an der Haut. Man konnte es samt Kragen auswringen. Ich konnte kaum atmen, wischte mir den Schweiß vom Gesicht. Dafür war meine Kehle aber trocken. Ich ging wieder zur Leiche.

Mein Klient war schon einige Zeit in die Ewigen Jagdgründe eingegangen. Sein breites Gesicht mit der platten Nase und den wulstigen schmutzigrosa Lippen wurde so langsam grau, unbeweglich wie ein Stück Holz. Die Fingernägel waren aschfahl. Seine Hand krampfte sich um einen schweren Revolver mit Schalldämpfer. Diese Kanone war es also, die die Haare des Bettvorleger-Tigers streifte und den Arm des Mannes so unnatürlich lang erscheinen ließ.

Ob er sich nun selbst umgebracht (worauf das Ganze schließen ließ) oder jemand anders ihn abgeknallt hatte: der Schwarze hatte den Humor gleicher Farbe nicht so weit getrieben, durch eine Kugel aus blanker Waffe zu sterben. Es sei denn, das sollte ein geschmackloser Scherz sein. Monsieur Jérôme Grandier könnte bestimmt nicht drüber lachen. Überhaupt nicht.

Der Schwarze hatte eine Kugel in die Birne gekriegt, eine zweite in den Magen. Der Gerichtsmediziner würde schon sagen, welche ihn ins Jenseits befördert hatte. Interessierte mich zwar wenig, aber irgendwas muß der Arzt ja tun für unsere Steuergelder. Mit Charlie Mac Gee war's aus. Das war das einzige, was für mich zählte.

Aus und vorbei! Und was er an Wichtigem gehabt hatte, war bestimmt nicht mehr in seinem Zimmer. Trotzdem sah ich mich gründlich um.

In einem Wandschrank hingen ein paar Anzüge. Für einen Sohn Hams ziemlich geschmackvoll. Aber bei den kanariengelben Schuhen im untersten Fach taten einem die Augen weh. In einer Schrankecke lag ein unschuldiges Paket. Zu unschuldig: Ich öffnete es. Was mußt du auch immer rumschnüffeln, Nestor! Ein übler Geruch stieg mir in die Nase. Schmutzige Wäsche. Vielen Dank! Hatte ich auch zu Hause, allerdings weniger aufdringlich. Ich schloß den Schrank.

Auf dem Boden neben dem Nachttisch stand ein Plattenspieler, daneben lagen stapelweise Schallplatten. Die oberste war eine Aufnahme mit Dizzy Gillespie. Ein Trauermarsch wäre angebrachter gewesen. Ich hob die Abdeckhaube des Plattenspielers an. Nichts. Nur Staub. Ich legte mich auf den Bauch, um unter die Flohkiste zu sehen. Auch da war kein Mörder versteckt. Auch keine zweite Leiche. Immerhin. Dafür aber kaputte Schallplatten, anscheinend lässig unters Bett geschoben. Und ein Koffer. Ich ließ die kaputten Schallplattenreste links liegen und zog nur den Koffer hervor.

Er war randvoll mit zerknülltem Zeitungs- und Einwickelpapier. Lauter locker leichte Kugeln. Ich kippte den gesamten Kram auf den Boden. Nichts als Papier, dazu ein schwerer Keramikaschenbecher an einer langen Schnur.

Kein Zweifel. Monsieur Mac Gee war ein Gauner gewesen, einer von der mißtrauischen Sorte. Ich hatte gerade seine Alarmanlage entdeckt. Neulich hatte ich was über einen Landsmann von ihm gelesen. Der hatte vorgemacht, wie man so was baut. War wohl nie schlafengegangen, ohne vorher im Zimmer diesen ganzen Papierkram zu verstreuen. Um garantiert nicht im Schlaf überrascht zu werden, hatte er das System noch weiter perfektioniert: durch diese Schnur an der Tür fiel der Aschenbecher mit voller Wucht zu Boden, sobald die Tür aufgestoßen wurde. Raffiniert ausgedacht, das Ganze. Dem Burschen hier hatte es aber nicht viel geholfen.

Ich stopfte den Krempel wieder in den Koffer und schob ihn unters Bett. Dann nahm ich mir das Badezimmer vor. Durch das offene Fenster hörte ich das dumpfe Grollen eines fernen Gewitters. Ganz in der Nähe prasselte der Platzregen auf ein Zinkdach. Eine beinahe kühle Brise strich über mein Gesicht. Nützte aber gar nichts. Mir standen immer noch dicke Schweißperlen auf der Stirn.

Ich machte Licht. Ein ziemlich dreckiges Senfglas und ein halbes Dutzend unterschiedlichster Parfümfläschchen kämpften um einen Stehplatz auf der Glasplatte. Wenn man die Fläschchen zusammengekippt hätte, wär das Gemisch bestimmt explodiert. Abgesehen von diesem Plunder war das Badezimmer so nackt wie Yvonne Ménard, meine Freundin aus den Folies-Bergère. Der laufende Wasserhahn erinnerte mich lebhaft daran, dasselbe zu tun. Ich knipste das Licht aus und ging zurück ins Totenzimmer.

Als ich die Leiche so liegen sah, konnte ich mir wüste Beschimpfungen kaum verkneifen. Dieser Blödmann hatte keinen blassen Schimmer, wieviel Scheinchen mir durch die Lappen gingen. Was sollten meine vielen Vorsichtsmaßnahmen, der ganze Hokuspokus! Andere hatten sich nicht so sehr den Kopf zerbrochen, bevor sie den des Schwarzen zerschossen hatten.

Ich überwand meinen Ekel und durchwühlte die Leiche. Was ich suchte, hatte er bestimmt nicht in der Tasche. Dafür war das viel zu sperrig. Außerdem hatte ich meine Hoffnungen in dieser Richtung begraben. Aber vielleicht stolperte ich über einen Hinweis, den Beginn einer Spur, was weiß ich. Die eine Hosentasche war hoffnungslos leer, in der anderen duftete nur ein parfümiertes Taschentuch. Ja, ja, genau diese Art Parfüm! Seine Glencheckjacke enthielt auch keine Schätze. Das malvenfarbene Seidentüchlein duftete ebenfalls, aber anders als das Taschentuch. Teurer. Es war wirklich zum Kotzen! Außen- und Innentaschen enthielten so gut wie nichts. Nur eine Brieftasche, flach wie 'ne Briefmarke, mit einem Paß auf den Namen Charles Mac Gee, fünfundvierzig Jahre, Gebiß vollständig. Hätte seinem Besuch besser die Zähne zeigen sollen. Viel zu vorsichtig, dieser Monsieur Mac Gee. Jedenfalls hatte er nichts Verräterisches bei sich getragen. Oder aber er war gefleddert worden. Für Nestor also nichts dabei, was ihn irgendwie hätte weiterbringen können. Ich fluchte still vor mich hin, steckte die Brieftasche an ihren Platz zurück, löschte das Licht und verduftete. Die Tür ließ ich einen Spaltbreit offenstehen.

Mein Rückzug über den Korridor wurde von der Nasensinfonie in schnarch-moll begleitet. Dazu brausender Beifall von einer plötzlich einsetzenden Wasserspülung. Ein gelungenes Ensemble. Nichts dagegen zu sagen. Paßte alles gut zusammen.

* * *

Die kleine Marcelle wartete brav auf mich. Sie lag auf dem Bett und rauchte. Als ich reinkam, setzte sie sich auf und sah mich mit ihren großen staunenden Augen an.

„Na, was ist?" fragte sie. „Du machst vielleicht ein Gesicht..."

„Diese verdammte Hitze", redete ich mich raus. „Ich hab's zwar gerne etwas heißer, aber manchmal... Die Arterien. Ich werd alt."

„Hast du deinen Klienten getroffen?"

„Ja."

Sie wühlte in ihrer Mähne, die auch so schon zerwühlt genug aussah.

„Und nun?"

„... haun wir wieder ab. Wir könnten 'ne Kleinigkeit bei Henri auf die Gabel legen."

„Da sag ich nicht nein."

Sie stand vom Bett auf und lächelte.

„Trotzdem... 'n bißchen beleidigend ist das schon für mich."

Mir war nicht nach charmantem Geplauder zumute.

„Mal sehen... irgendwann, wenn's etwas kühler ist... Los, machen wir uns aus dem Staub", drängte ich. „Ich krieg keine Luft hier. Zieh dir was über. Ich glaub, es gießt."

„Hm, in Strömen. Bin ja nicht taub."

Sie zog ihren Trenchcoat über.

„'n Regenschirm kann ich dir nicht bieten. Hier im Viertel ist so was nicht gefragt."

„Macht nichts."

Hoffentlich würde ich pudelnaß werden. Bestimmt roch ich zehn Meter gegen den Wind nach Absteige. Vielleicht konnte der Regen den schäbigen Gestank aus dem Zimmer des Toten verjagen.

Wir verließen das Hotel ohne Zwischenfälle. Der Portier schnarchte immer noch unter dem schummrigen Licht der schwachen Birne. Auf dem kahlen Schädel glänzten wie vorher Schweißperlen. Als Marcelle ihren Schlüssel ans Brett hängte, streifte sie ihn. Eine Art Luftblase kam zwischen seinen Lippen hervor, was aber keine Reaktion auf die Berührung war. So einen Zischlaut stieß er wohl von Zeit zu Zeit im Tiefschlaf aus. Gehörte zu seiner Körperhygiene. Ich hätte also genauso gut alleine rein- und rauskommen können. Aber dafür hätte ich vorher seine Gewohnheiten kennen müssen. Und jetzt nahm ich meine kleine Sainte-Germaine aus einem anderen Grund mit: wenn man die Leiche in der vierten Etage entdeckte, sollte das Mädchen nicht in ihrem Zimmer sein. Unter dem Schock hätte sie den Flics gegenüber vielleicht einen unvorsichtigen, verräterischen Satz fallenlassen können. Auch mußte und wollte ich sie vom Diderot-Hôtel fernhalten, wenn auch nicht, bis daß sich die Wogen geglättet hatten, so doch wenigstens bis zum nächsten Mittag. Durch diese Taktik war die Gefahr zwar nicht völlig gebannt, aber in einem gewissen Maße verringert. Na ja! Nur weil dieser verfluchte Schafskopf von Charlie Mac Gee sich hatte umlegen lassen, mußte ich die Nacht zum Schäferstündchen machen.

Wir überquerten also den Boulevard, im Nacken eine Regenbö. Bei Leduc war es rammelvoll. Louis verschaffte uns einen Platz für eineinhalb Personen ganz hinten an der Theke. Germain Saint-Germain weilte nicht mehr unter den ehrenwerten Gästen. War mir nur recht. Ich fühlte mich nicht in der Lage, ein Gespräch zu führen, auch kein noch so schwachsinniges. In meinem kleinen Hirn geisterten schon genügend Gedanken rum.

Das arme Hirn eines dynamischen Detektivs, Spezialist für das Auffinden leichtverderblicher Ware!

Wir mußten uns von Henri ein paar harmlose Sticheleien anhören. Dann kriegten wir einen reichlich versalzenen Fraß vorgesetzt, wonach wir anständig die Gurgel ausspülen mußten. Meine freie Mitarbeiterin langte besonders kräftig zu und wußte nicht mehr so richtig, welchen Tag wir hatten. Aber mein Ziel war noch nicht erreicht. Ich fragte mich, welche Wende ich der Nacht geben sollte. Da half mir ein Junge in sehr enganliegenden Bluejeans und sehr weitem Hemd aus der Verlegenheit. Er erzählte seinen Freunden, die Ausscheidung für die Wahl der „Miß Müll" finde heute nacht in der Passage Dauphine statt, in der *Cave-Bleue*. Man könne da sicher was erleben, die Veranstalter wollten endgültig das letzte Tabu begraben und vor nichts zurückschrecken. Besonders reizte mich so eine „Miß Müll" nicht. Manchmal bin ich eben rückständig. Mich interessieren mehr die sauber gewaschenen Mädchen. Bei diesem Wettbewerb in der verräucherten Kellerluft würde meine Begleiterin bald endgültig den Kanal voll haben. An diesem Schauspiel (ich meine jetzt den Wettbewerb) durften allerdings nur geladene Gäste teilnehmen. Aber dafür hatte ich ja Henri. Er fischte sofort zwei Eintrittskarten aus seiner unerschöpflichen Schublade.

Bevor wir das Échaudé verließen, schloß ich mich im Klo ein. Hier übergab ich der Pariser Kanalisation ein Blatt Papier, auf dem Raritäten beschrieben und abgebildet waren. Dazu eine Art Empfehlungsschreiben für Charlie Mac Gee. Diese Dokumente waren jetzt überflüssig geworden. Besser, wenn ich sie nicht mehr bei mir hatte. Zum Teufel damit!

3.
Die Nacht von Saint-Germain

Der Weg zu dem Kellerlokal *Cave-Bleue* hatte so seine Tükken. Zuerst stieß man gegen die Abfalleimer, die an der Passage Dauphine auf die Müllmänner warteten. Dann stolperte man über die unregelmäßigen Pflastersteine, die den Reiz solcher Gäßchen ausmachen. Aber damit noch nicht genug. Das Schlimmste kam noch: zum Eingang des Kellers gelangen. Über einer niedrigen Tür hing ein Holzbrett zwischen zwei eigenartig geformten Laternen. Darauf war *Cave-Bleue* geschmiert, so chaotisch wie möglich. Vor dem Eingang drängte sich eine tierisch brüllende Menge. Als ob es nicht genügte, daß es in Strömen goß, wurde aus einem Fenster hin und wieder ein Wassereimer – wenn nicht Schlimmeres! – zur allgemeinen Erfrischung ausgeschüttet, begleitet von den kräftigen Flüchen von jemandem, der wohl gerne geschlafen hätte. Zwei sehr offenherzige Frauen aus der Neuen Welt – wahrscheinlich Zeitgenossinnen von Abraham Lincoln – hatten mit einer Ladung noch nicht genug. Sie fanden diese Einlage sehr lustig, *exciting*, und verlangten lauthals eine weitere Dusche. Die ließ nicht lange auf sich warten. Wie hoch mußte die Wasserrechnung der Mieter sein! Anscheinend hatte das Wasserwerk in diesem Viertel soviel Gewinn gemacht, daß die Kanalisation erneuert werden konnte – allerdings nur in anderen Arrondissements.

Wir setzten unsere Ellbogen ein und schrien wie alle andern rum, um nicht aufzufallen. So erreichten wir bald den Eingang zum Allerheiligsten. Dort stand ein kräftiger Kerl, Typ normannischer Kleiderschrank. Sein Boxergesicht sah genauso ramponiert aus wie seine Uniformmütze. Dabei war der Gorilla gar nicht auf den Mund gefallen. Er schnappte sich mit seiner riesigen Pranke die Eintrittskarten, schubste uns mit der andern ins Innere. Hier ging's eine schmale Treppe runter, dann folgte ein gewundender Gang, dessen feuchte Wände verdächtige Spuren auf den Schultern hinterließen. Am Ende der Reise in die Nacht gelangte man in ein großes Kellergewölbe. Die rauchgeschwängerte Luft war zum Schneiden dick. Außerdem roch es verdammt modrig. Wirklich, meiner Nase wurde heute nacht kein Fest bereitet!

Modergeruch. Rauch. Und natürlich alles andre als leise! Sowohl an der Bar in der Ecke wie an den groben Holztischen, die in genialer Unordnung um eine Fläche für die gruppiert waren, die vom Jitterbug geschüttelt wurden, waren die Gäste zusammengepfercht: Menschen beiderlei Geschlechts und verschiedener Kategorie, vom modernen Bohemien bis zum schwerreichen Filmemacher über Starlets auf der Jagd nach einer Rolle und Touristen auf der Jagd nach unerhörten Abenteuern. Der ganze Haufen saß mit breitem oder schmalem Hinterteil auf fellbezogenen Hockern, verbrüderte sich und diskutierte lautstark. Ein unvorstellbares Tohuwabohu. Zur Vervollständigung der Atmosphäre tobte sich eine schwarzweiße Jazzformation auf einer kleinen Bühne aus. Nicht nur der Putz von der Decke, sondern das gesamte Kellergewölbe drohte runterzukommen. Den ganzen Radau übertönte eine Trompete mit einem unendlichen, schrillen Ton, der einiges Aufsehen erregte. Als der Musiker das Instrument von den Lippen nahm, klatschten einige Kenner frenetisch Beifall. Nicht zu Unrecht. Eine hübsche Einlage. Gegen den war Louis Armstrong ein Waisenknabe.

Dann gönnte sich die Kapelle eine Atempause von etwa drei Sekunden. Grad Zeit, sich die Kehle anzufeuchten. Und sofort der nächste heiße Rhythmus, diesmal Bebop. Einige Paare stürmten auf die Tanzfläche aus gestampftem Lehmboden und gaben mir Junggesellen eine Vorstellung von Ehekrach. Die Kerle schnappten sich ihre Mädchen, zogen sie plötzlich zu sich ran und stießen sie dann ähnlich zärtlich wieder von sich. Die Mädchen wirbelten zurück, Röcke flogen und eröffneten ungeahnte Perspektiven. Das bewies mir wieder die Überlegenheit dieses Kleidungsstücks im Vergleich mit diesen schrecklichen Damenhosen! Danach starteten die Paare den zweiten Versuch, aggressiv, mit stolz gereckter Brust, auf die Gefahr hin, daß ein paar Knöpfe absprangen.

Marcelle und mir gelang es, uns auf eine Bank zu zwängen. Neben uns einer, der aussah wie Alexandre Astruc (den ich auch nicht mehr so oft seh'), und ein anderer, der im Takt hin und her zappelte. Ein Kellner, der ganz schön geschickt sein mußte, um sich in dem ganzen Durcheinander zurechtzufinden, stellte uns irgendein starkes Gesöff vor die Nase.

Ich verließ meinen hart erkämpften Platz und machte mich auf die Suche nach einem Telefon. Was getan werden mußte, mußte getan werden.

Hinter der Bar befand sich tatsächlich die Kabine. Ich zog die Tür hinter mir zu und schnappte mir das Telefonbuch.

Diderot-Hôtel, Dragon 35-09.

Ich wählte die Nummer. Beim dritten Klingeln entschloß sich der Portier in der halbdunklen Vorhalle, den Hörer abzunehmen.

„Hier Dide..." Er gähnte. „... rotel."

„Monsieur Mac Gee", sagte ich.

„Ja, Monsieur. Guten Abend, Monsieur Mac Gee. Was kann ich für Sie tun?"

„Ich bin nicht Mac Gee. Er wohnt in Ihrem Hotel. Und ich möchte mit ihm sprechen."

„Ach so! Ja..."

Wieder ein herzhaftes Gähnen.

„... Wissen Sie, wie spät es ist, Monsieur?"

„Besser als Sie. Ist aber egal. Ich muß unbedingt mit Monsieur Mac Gee sprechen, und zwar sofort. Er erwartet meinen Anruf. Zimmer 42. Sie sehen, ich weiß Bescheid. Verbinden Sie mich bitte."

„Jawohl, Monsieur."

Der Hörer wurde auf den Tisch geknallt. Es folgten verschiedene undefinierbare Geräusche. Offenbar kämpfte der Portier mit dem Haustelefon. An mein freies Ohr drang der Krach aus dem Keller, ein Gemisch von Jazzmusik und Stimmengewirr.

„Hallo?"

„Ja?"

„Monsieur Mac Gee meldet sich nicht, Monsieur. Scheint nicht zu Hause zu sein."

„Sollte mich wundern", wunderte ich mich, wobei ich mir nur schlecht einen ironischen Unterton verkneifen konnte. „Er erwartet meinen Anruf. Es ist sehr wichtig. Sehen Sie doch bitte aufs Schlüsselbrett. Er muß in seinem Zimmer sein."

Pause. Dann:

„Sie könnten recht haben, M'sieur. Sein Schlüssel hängt nicht am Brett."

„Sehen Sie! Vielleicht hat er sich die Hacken vollgesoffen. Das Klingeln weckt ihn nicht auf. Bitte, mein Lieber, gehen Sie rauf und schütteln Sie ihn etwas. Hab verdammt wichtige Informationen für ihn. Er wird bestimmt nicht explodieren."

Kurzes Zögern.

„Meinen Sie?"

„Aber sicher."

„Na ja, M'sieur ... äh ..."

„Destournelles."

„Na schön, M'sieur Destournelles. Bleiben Sie am Apparat. Bin gleich wieder da."

„O.k."

Ich holte meine Pfeife raus, meine gute alte Freundin mit dem Stierkopf. Hatte sie heute nacht etwas vernachlässigt. Ich stopfte sie und zündete sie an. Während ich wartete, las ich die Schmierereien in der Kabine. *Trink Arsenik-Tee, und dein Durst nach ewigem Frieden wird gestillt ... Existentialisten! Sartre auf alle Lippen! ... Fühlst du dich nicht wohl, fühl dich durch andere ...* Wir altruistisch! Die Begutachtung der vielen Beweise von Dichtkunst wurde unterbrochen von dem schabenden Geräusch des Hörers auf dem Tisch im Diderot-Hôtel, der jetzt wieder aufgenommen wurde. Wahrscheinlich zitterte die Hand wie Espenlaub. Mein Gesprächspartner am anderen Ende keuchte wie ein Walroß.

„Hal...lo“, stammelte er schließlich im Flüsterton, verstört wie eine schwachgewordene Jungfrau.

Jetzt stand ihm der Schweiß nicht nur auf der Glatze. Bestimmt hatte sich schon eine Pfütze gebildet.

„Hallo... M'sieur...“

Behutsam legte ich auf. Das hatte ja gut geklappt. Leise, diskret und schmerzfrei. Einen Katzensprung weit entfernt von hier, in der Rue de l'Abbaye, gaben sich die Flics gerade den unschuldigen Freuden einer gemütlichen Partie *belote* hin. Gleich würden sie durch den Regen zu einem bleischweren farbigen Gangster laufen müssen.

Ich verließ die Telefonzelle und bahnte mir einen Weg durch die dichtgedrängte Menge. Mittendrin sah ich den schönen Intellektuellenkopf von Albert Bergougnoux alias Germain Saint-Germain vor der Theke stehen. Den Schriftsteller natürlich, nicht seinen Kopf. Ich versuchte, mich unbemerkt vorbeizudrücken. Denkste! Er erblickte mich und rief:

„Mein lieber Freund, wenn Sie schon mal hier im Viertel sind, dann scheint's Ihnen wohl zu gefallen, hm?“

Seine grauen Augen hatten einen ungewöhnlichen Glanz. Er wandte sich dem Kerl rechts neben ihm zu. Sie tranken sozusagen aus demselben Glas.

„Mein lieber Rémy“, sagte der Schriftsteller und zeigte auf mich, „das ist ein alter Freund aus einer großen Zeit. Nestor Burma, Privatdetektiv.“

„Detektiv? Ach du Scheiße...“, entfuhr es dem andern.

Er versuchte gar nicht, seine Gefühle zu verbergen. Sein Gesicht machte gar keinen so offenen Eindruck. Ein junger Mann, der nie genug Schlaf kriegte. Aufgedunsen und fett, wachsbleich, fiebrige Augen. Die Nase dick, rund und behaart. Zitterte ständig. Darunter gierige rote Lippen. Die schwarzen Haare waren straff zurückgekämmt, reichten ihm bis in den Nacken. Wie alle hier trug er Bluejeans und kariertes Hemd, aufgeknöpft, darüber eine weite amerikanische Jacke mit Lederflikken an den Ellbogen. Diesen Aufzug sah man häufiger bei ganz bestimmten Stammgästen in Bars.

„Oh!“ protestierte der Schriftsteller. „Nestor Burma ist kein Detektiv wie jeder andere. Er kann sehr amüsant plaudern. Und außerdem ist ein Privatdetektiv kein Flic...“

„Trotzdem guten Abend“, knurrte der Bursche und streckte mir seine weiche Hand hin. „Hier im Viertel muß man wohl mit allem rechnen, hm?“

Und ob! Ich zum Beispiel war auf eine Leiche gestoßen. Inzwischen machte Germain Saint-Germain uns weiter miteinander bekannt. Ich hörte so was wie „Dichter“, dann einen Namen. Grindel oder so ähnlich. Der richtige Name meines verstorbenen Freundes Paul Eluard. Ich fragte, ob er mit ihm verwandt sei.

„Wie kommen Sie denn auf Grindel?“ fragte der Schriftsteller.

„Brandwell. Rémy Brandwell. Wie der Bruder von Emily Brontë.“

„Ah ja“, sagte ich.

Bruder von Emily Brontë oder Cousin von Paul Eluard, was ging's mich an?

„Sehr schön“, machte ich weiter. „Das Vergnügen ist ganz auf meiner Seite. Aber jetzt entschuldigen Sie mich bitte. Ich muß zu meiner Begleiterin zurück...“

„Vielleicht sieht man sich später noch“, säuselte Saint-Germain. „Bei mir findet gleich eine kleine Party statt... Wenn Ihnen der Sinn danach steht...“

„Ja, vielleicht.“

Ich verließ die beiden Künstler und ging zurück zu Marcelle. Natürlich war mein Platz nicht mehr frei. Aber man rückte etwas näher zusammen, und dann paßte es wieder. Marcelle rauchte wie ein Schlot und soff wie ein Loch. Wunderbar! Die Jazzmusik dröhnte immer noch durch den Keller. Plötzlich aber verstummte sie. Ein schlaksiger Kerl kletterte auf einen Tisch, schlecht rasiert, in Bluejeans und Unterhemd. Sah aus wie ein Kellner im Dampfbad. Seine Bitte um Ruhe wurde ihm nur zum Teil gewährt. Immerhin herrschte Zimmerlautstärke.

„Und nun“, schrie er, die Hände trichterförmig vor dem Mund, „Und nun erteilen wir das Wort...“

„Aufhörn“, grölte ein Besoffener.

„... erteilen wir das Wort... Chrysis.“

„Aus dem Müll?“ fragte jemand.

„Aus der Scheiße“, antwortete ein anderer von der Theke.

Allgemeines Gelächter.

„Ganz einfach Chrysis, verdammt nochmal!“ schrie der Ansager. „Am Klimperkasten begleitet von Radau-Ted Michelson, dem bekannten Komponisten der *Kaputten Sinfonie*.“

Der Pianist verschaffte sich Gehör, indem er ein paar Akkorde anschlug, die einem die Schuhe auszogen. Eine abenteuerliche Art angewandter Musikwissenschaft!

„Unsere Chrysis singt für uns: *Ich schaffe heimlich an* oder *Klagelied einer Freischaffenden*.“

„Aufhörn!“ grölte der Besoffene wieder.

Ganz-einfach-Chrysis-verdammt-nochmal entpuppte sich als eine hinreißende vollbusige Rothaarige. Tausend eifrige Hände bemühten sich, sie auf den Tisch zu heben, auf dem eben noch der Dampfbad-Kellner gestanden hatte. Wie durch ein Wunder schwebte ein Mikrofon von der Decke. Die Sängerin packte es mit dem Mut der Verzweifelten und begann mit rauchiger Stimme:

Plaignez Nana la clandestine,
la tapineuse en tapinois
qui fait des mines de minois
aux chrétiens de la rue Christine.
Je me débats dans la débine,
l'âme passée au brou de noix.
Pas de galette au galetas.
Plaignez Nana la clandestine,
la tapineuse en tapinois...

Folgten noch weitere sechs Strophen mit demselben Käse. Dann schwebte die Goldwespe Chrysis wieder davon. Nun wurde es richtig interessant: die heißersehnte Wahl der „Miß Müll“! Der Pseudo-Astruc neben mir meinte allerdings, daß die Entscheidung heute abend noch nicht fallen würde. Kannte sich anscheinend sehr gut hier aus. Die Attraktion erwies sich als ein gutes Geschäft. Also verlängerten die Veranstalter einfach das Vergnügen. Trick-GmbH & Co.

Alle Lichter gingen mit einem klagvollen Beckenschlag aus. Genau in dem Augenblick richtete ein Scheinwerfer sein Lichtbündel durch den teuflischen Tanz des bläulichen Zigaretten- und Pfeifenqualms auf zwei aneinandergestellte leere Tische neben der Jazzkapelle.

... Leer war es nicht, das Zimmer 42 im Diderot-Hôtel. Immer noch ruhte Charlie Mac Gree dort, mit baumelndem Arm, aber sicher ohne den Revolver. Der lange Arm – der des Gesetzes – war stehenden Fußes wie die Feuerwehr hingeeilt und hatte bestimmt nasse Spuren hinterlassen. Der Uniformierte, der die Totenwache halten mußte, durfte rauchen, um den Gestank zu vertreiben. Vielleicht hatte er auch das Fenster geöffnet...

Alles tobte vor Freude. Von irgendwoher kamen drei Mädchen zum Vorschein, sprangen auf die Tische und posierten im Blitzlich der Fotografen.

... Charlie Mac Gee war kein gewöhnlicher Gangster gewesen. Auch kein Wilder. Kultiviert. Sehr kultiviert sogar. Die Mannschaft vom Quai des Orfèvres würde bald anrücken und mit ihr der ganze Haufen vom Erkennungsdienst. Eine ruhige Kugel für Florimond Faroux, den Kommissar der Kripo.

Die drei Grazien waren sehr eigenwillig fertiggemacht. Porreestangen, Rüben, Möhren und anderes Gemüse, nicht gerade frisch, ersetzten die Bananendiät von Josephine Baker. Die Arm- und Stirnreifen der Kandidatinnen für den begehrten Titel bestanden aus leeren Konservenbüchsen. Der Kerl im Unterhemd tauchte wieder aus der Menge auf und stellte sich neben das Trio.

„Drei prachtvolle Mädchen von fataler Schönheit. Drei“, kreischte er. „Gestatten Sie, daß ich sie Ihnen vorstelle. Notieren Sie bitte die Namen... Rechts von mir: Mirey Schrumm-Schrumm...“

„Aufhörn!" Das war wieder der Besoffene von eben.

... Vielleicht war er schon in der Morgue, Charlie Mac Gee, nackt wie ein Wurm im Kühlfach, geschützt vor der Affenhitze...

„Links von mir: Dinah Fifty..."

„Weg mit der Schlampe! So was woll'n wir nicht!" protestierte die Mehrzahl der Kellergäste.

„Und vor mir... vor mir..." versuchte sich der Marktschreier durchzusetzen und packte die Hübscheste von allen, mit üppigem goldblondem Haar, das ihr bis auf die Schultern fiel. Für den Fall, daß sie ihm weglaufen wollte, preßte er sie fest an sich.

„Taxi... Ganz einfach Taxi."

Dieser Ausdruck gefiel ihm wohl besonders gut. Anhaltender Beifall. Die blonde Taxi war bleich wie ein weißes Laken. Ein richtiger Zuchtchampignon aus dem Hause *Cave-Bleue*. Sie verneigte sich und wär dabei beinahe vom Tisch gefallen. Der Schreihals räusperte sich.

„Und jetzt hat die Jury das Wort."

Mit einem Mal war es still.

„Die Jury, verdammt nochmal! Wo ist die Jury?" Der Junge erstickte fast vor Zorn.

„Die Jury ist nicht da", stellte jemand fest.

„Die Jurymitglieder sind blau wie die Veilchen", posaunte ein andrer.

„Juri hat Durst", witzelte ein Zuschauer mit russischem Akzent.

„Blau oder nicht, die Jury muß sich beraten!" Das Unterhemd schrie sich langsam heiser. „Her mit den Scheißkerlen!"

Der Kollege von Germain Saint-Germain, Grindel, Brandwell oder Maxwell, stieg auf einen Stuhl und breitete die Arme aus, so als wollte er die Anwesenden segnen.

„Die Jury", brüllte er, „ist unfähig. Ihr fehlt alles, einschließlich Kaltblütigkeit. Hören wir auf die *vox populi.*"

„*Vox populi, vox populi*", schrie die Menge, als rief sie damit einen Mieter dieses Namens aus der Nachbarschaft.

„Gut, also die Stimme des Volkes", stimmte der Ansager zu. „Also los, liebe Leute, wen wollt ihr?"

„Taxi!" kam es aus gleichzeitig zweihundert Kehlen. Dinah Dings und Mirey Bums wurden wie Abfall weggeworfen. Einigermaßen paradox, bedenkt man das Motto der Veranstaltung. Aber bei diesen Intellektuellen muß man auf alles gefaßt sein. Die blonde, durchscheinende Taxi blieb jedenfalls alleine mit ihrem Gemüsezeug auf dem Podest. Sah aus, als hätte sie sich ordentlich Mut angetrunken. Der Junge im schweißtriefenden Unterhemd umarmte die Gewinnerin. Dann brüllte er wieder ins Publikum:

„Damit hat sich Taxi für die Endausscheidung qualifiziert, die in ein paar Tagen wieder in diesem Lokal stattfinden wird. Dann stehen ihr Jasmin und Heuschrecke gegenüber, die Gewinnerinnen aus vorangegangenen Vorentscheidungen. Es geht um den Titel der Miß Welt-Müll... Hipp, hipp..."

„Hurra!" grölte die Menge.

„Vielen Dank!"

Mit einer lässigen Geste verabschiedete er sich. Taxi warf sich mit wackligen Knien in die Arme von Rémy, dem Dichter mit dem dichten Haar. Jetzt wurde es wieder hell im Keller. Die Jazzkapelle legte los. Aber den meisten reichte es. Sie wollten raus, und es entstand einige Bewegung. Marcelle war blau. Allerdings nicht so dunkelblau, wie ich's mir vorgestellt hatte. Sie kriegte noch soviel mit, daß sie in ihr Hotel zurück wollte. Aber Germain Saint-Germain tauchte neben mir auf und half mir aus der Patsche.

„Meine Einladung gilt noch", sagte er.

„Ihre Einladung..."

„Wir gehn zu mir, Taxis Erfolg feiern. Kommen Sie mit?"

Ich nahm an, in meinem und in Marcelles Namen. Hoffentlich würde es bei ihm genug geben, um die Kleine endgültig zuzuschütten.

* * *

Es gab genug.

In seiner hübschen Wohnung in der Rue Guynemer, mit Blick auf den Jardin du Luxembourg, fand auch die durstigste Kehle alles, was man sich an alkoholischen Getränken nur wünschen kann. Sehr gastfreundlich von unserem Gastgeber; denn er selbst trank höchstens Mineralwasser. Ich hatte allerdings den Eindruck, daß das nur eine Attitüde von Monsieur Saint-Germain war, nichts als Schau. Schaumschlägerei. Alleine in seinem Kämmerlein, ließ sich der Heuchler wahrscheinlich vollaufen. Das sagte ich ihm auch. Er aber schüttelte seinen schönen, vom heiligen Feuer zerquälten Intellektuellenkopf mit der persilweißen Mähne.

„Warum, zum Teufel, sollte ich mich besaufen?“ fragte er schleimig sanft.

„Weiß ich nicht. Man muß sich ja nicht unbedingt besaufen, aber vielleicht etwas mehr gönnen...“

Ich griff mir vom Tablett irgendeine Flasche und gönnte mir was.

„Im allgemeinen vertragen die Literaten so einiges...“ bohrte ich weiter.

Er lächelte sein feines Lächeln, intelligent, ironisch, überlegen.

„Die dummen, ja. Aber zu denen gehöre ich nicht...“

Er sah zu einem seiner Gäste hinüber, einem jungen Mann, fast noch ein Kind, der auf einem Sofa lag, von Krämpfen geschüttelt.

„Wie zum Beispiel der kleine Deladoire dort drüben. Sehen Sie sich den an, Burma. Der trinkt Roten und Rum durcheinander. Nimmt auch Drogen, soviel ich weiß. Weil Cocteau Drogen genommen hat. Und weil Rimbaud mehr oder weniger schwul war, wird er's wohl irgendwann auch. Aber Koks, Suff und Homosexualität verleihen noch kein Talent, wenn keins da ist. Verdammt nochmal, ich meine sogar, das alles zerstört das Talent, wo es vorhanden ist...“

Unmerklich redete er sich in eine leidenschaftliche Erregung. Ohne sich zu berauschen, denn das tat er ja nicht. Jedenfalls hab ich ihn nie berauscht gesehen. Obwohl... bei Leduc hatte er nicht grade Wasser getrunken. Und Drogen ... Jede Wette, daß er welche nahm. Oder er kannte Tricks, Geheimnisse, Yoga-Übungen oder so was.

„Ich bitte Sie, sehen Sie sich das Ferkel an!" ereiferte er sich. „Ist das nicht herrlich?"

Der besoffene Knabe Deladoire kotzte sich den Kopf leer. Ein Mädchen, kaum älter und granatenvoll wie er, stützte den Sterbenskranken. Außer unserem Gastgeber, dem Mädchen und mir kümmerte sich keiner um sein Schicksal. Die jungen Gäste von Germain Saint-Germain, ein rundes Dutzend, beschäftigten sich auf ihre Weise, leerten Flaschen, tanzten oder lauschten einfach nur der Musik vom Plattenspieler, wobei sie wie Rindviecher mit dem Kopf wackelten.

„Herrlich?" lachte ich. „Wer's mag ... Kriegen Ihre Teppiche öfter was ab?"

„Sind mir doch völlig egal, die Teppiche. Mit meinem Geld kann ich mir jeden Tag neue kaufen, wenn ich will. Schließlich bin ich ein Mensch von erlesenem Geschmack, Burma. Der Autor von *Nur eine Viertelstunde für die Liebe* ..."

„A propos ... Ich hatte noch nicht das Vergnügen, der Dame des Hauses vorgestellt zu werden. Gibt's eine, oder halten Sie's eher mit Rimbaud?"

Er wurde nicht böse, nur nachdenklich.

„Ich habe eine Frau, ja. Ich hatte eine, besser gesagt. Eine Schönheit, mein Lieber. Miß ich weiß nicht mehr ..."

„Müll vielleicht?"

„Reden Sie keinen Unsinn. Eine richtige Miß Soundso. Eine richtige Schönheit. Unter dem tu ich's nicht. Ich sagte Ihnen schon: ein Mann von Geschmack. Aber sie ist mit meinem Kammerdiener auf und davon gegangen. Brandwell war auch hinter ihr her ... Da, sehen Sie ihn? Auch er säuft. Sollte er lieber sein lassen. Ich mag ihn ... mein liebster Bewunderer. Sollte nicht trinken."

Ihm entging keine Bewegung seiner Gäste. Er folgte ihren kleinsten Gesten, belauerte sie sozusagen. Wie ein Forscher, der Insekten beobachtet, um ihnen die intimsten Geheimnisse ihres

Verhaltens zu entreißen. Manchmal blitzte in seinen Augen Grausamkeit auf, dann, ohne Übergang, ein trauriger Glanz, so als entginge ihm irgendetwas. Komischer Kerl, wirklich. Nahm bestimmt Drogen, auch wenn er das Gegenteil behauptete, berauschte sich aber – ich war Zeuge dieses seltsamen Vorganges – mit Mineralwasser. Ich war wohl sternhagelvoll. Fehlte nur noch, daß ich weiße Mäuse sah.

„Rémy", rief er.

„Wasiss?" lallte der Junge mit dem Pappmaché-Gesicht.

„Wo ist Taxi?"

„Schläft. Hab ihr ein Schlafmittel verpaßt."

Germain Saint-Germain wandte sich wieder mir zu.

„Die armen Kinder", säuselte er. „Armer Rémy! Hat einen Gedichtband veröffentlicht. Mir hat er eine Luxusausgabe mit einer schmeichelhaften Widmung verehrt. Ich glaub aber, daß die Gedichte in Wirklichkeit Cora gewidmet waren, zumindest durch sie inspiriert..."

„Cora?"

„Meine Gattin, dieses bezaubernde Miststück. *Schrei des Herzens* ist der Titel. Die Gedichte sind voll von solchen Anspielungen. Genausogut hätte er das Büchlein *Coras Körper* nennen können. Aber Coras Körper, den hat er nie besessen. Wissen Sie, Cora hatte die Nase voll von Poesie und Genie. Sie zog einen handfesten Kammerdiener vor, einen Domestiken, der nicht nur Weichkäse auf einem Tablett serviert, sondern so was auch in der Birne hat."

Er genehmigte sich ein großes Glas Vichy.

„Verzeihen Sie, mein Lieber. Ich glaub, ich werd sentimental. Verachten Sie mich deshalb bitte nicht. Es ist mir völlig gleichgültig, daß Sie mich sitzengelassen hat. Ich versteh sie sogar. Sie ist meiner überdrüssig geworden. Mit einem Genie zusammenzuleben, ist auf die Dauer zu anstrengend."

Ich lachte.

„Vorsicht! Der Gedanke ist nicht von Ihnen. Rita Hayworth hat so was Ähnliches gesagt, über ihren Mann Orson Welles."

Das Genie sah mich schräg von der Seite an.

„Ich weiß. Im allgemeinen nenne ich meine Quellen. Verdammt nochmal! Hab's doch wohl nicht nötig, meine Ideen aus Rita Hayworth's Schädel hervorzukramen!"

„Da haben Sie aber Glück. Viel ist da bestimmt nicht zu holen."

„Also das", bemerkt er tadelnd, „war aber nicht sehr galant."

Mußte man mir das unter die Nase reiben? Ich wußte selbst, daß das ungezogen war. Im allgemeinen geb ich so was nicht von mir. Es war eben eine merkwürdige Nacht.

„Seine Frau als Miststück zu bezeichnen, ist auch nicht besonders galant", gab ich zurück.

„Bitte, wir wollen doch nicht streiten", lenkte er ein. „Sie hat mir genug Geld abgeknöpft. Soll ich durch sie auch noch meine wiedergefundenen Freunde verlieren ... ?"

„Anscheinend hat sie das Geld nicht über alles geliebt, wenn sie mit einem Kammerdiener abgehaun ist ... Diese Domestiken sind nicht grade steinreich."

Er tat erstaunt:

„Hab ich gesagt, sie sei mit einem Kammerdiener weggegangen? Mein Lieber, achten Sie nicht auf das, was ich erzähle. Geschichten erfinden ist mein Beruf ..."

Er stieß ein leises, schmerzerfülltes Lachen aus. Dann schüttelte er sich und stand auf.

„Und jetzt zeigen wir einen kleinen Film", sagte er. „Das wird uns auf andere Gedanken bringen."

Er zog einen Vorhang zur Seite. Zum Vorschein kam eine ziemlich große Leinwand.

„Kommen Sie, Burma! Sehen Sie sich meine erstklassige Anlage an."

Über dem Sofa war in einem Wandschrank ein Filmprojektor angebracht. Germain Saint-Germain legte sich aufs Sofa. In Höhe seiner Hüfte ragte ein kleiner Hebel aus dem Schrank. Der Schriftsteller streichelte zärtlich den blanken Griff.

„Wenn ich müde bin", erklärte er, „wenn ich das Bedürfnis verspüre, mich zu entspannen, suche ich keine Zuflucht zu Alkohol oder Opium, wie einige meiner Kollegen. Ich hab mein

Kino. Besser gesagt, einen Film. Ein Meisterwerk, das ich immer wieder sehen kann. Die Kopie ist zwar nicht sehr gut, aber die besten Szenen sind noch da. *Die Jagd des Grafen Zaroff*. Kennen Sie ihn?"

„Ja. Hab ihn aber schon lange nicht mehr gesehen. Würd ihn mir gerne wieder mal ansehen."

„Gefällt er Ihnen auch so gut?"

„Er mißfällt mir nicht. Bei seiner Premiere – 1932 oder 33, glaub ich – hat er viel Staub aufgewirbelt. Die Kritiken haben ihn verrissen, aber so schlecht war er nicht. Meiner Meinung nach wenigstens."

„Ein Meisterwerk, sag ich Ihnen. Nicht mehr, nicht weniger. Über die Kritik kann ich nur lachen. Ein Meisterwerk. Ich kann's gar nicht oft genug sehen. Hier, ich lege mich hin ... Bitte, setzen Sie sich dorthin ..."

Er wies mir einen niedrigen Stuhl zu.

„... und beinahe ohne mich zu bewegen, nur indem ich diesen Hebel betätige, stellt sich der Projektor an, und gleichzeitig wird es dunkel."

Bevor er liegend zur Tat schritt, brüllte er, man solle die Musik abstellen. Gelallte Proteste wurden laut, aber der Plattenspieler verstummte. Jetzt drückte der Schriftsteller auf den Hebel. Alle Lichter gingen aus. Durch die Spalten der Vorhänge drang schwaches Licht. Draußen brach über dem Luxembourg der Tag an. Die Vögel begrüßten ihn mit fröhlichem Gezwitscher. Surrend begann der Projektor, den Film abzuspulen.

Die Geschichte dieses Grafen Zaroff ist bekannt. Auch er ein Mann von erlesenem Geschmack. Treibt die Liebe zur Jagd, den Spaß daran und die Philosophie des Jagens bis zum Äußersten. Zuerst macht er Jagd auf Niederwild, dann auf Hochwild, und schließlich geht er auf Menschenjagd. Nichtsahnende Zeitgenossen nehmen seine Einladung auf eine seiner Inseln gerne an. Und eines Tages dann wird ihnen die Wahrheit erzählt, worum's dem Grafen geht. Natürlich versuchen sie zu fliehen. Mit dem Gewehr in der Hand nimmt der Graf die Verfolgung auf, zitternd vor grausamer Wollust. Er hetzt sein Wild wie einen Hirsch oder ein Wildschwein. Das Happy-End – man ahnt natürlich, daß die unvergleichliche Grausamkeit dieses Nimrods bestraft wird – das Happy-End fehlte allerdings auf der Kopie von Monsieur Saint-Germain. Diese zerkratzte, abgenutzte Fassung zeigte nur die Jagdszenen. Ich muß gestehen, daß diese Szenen, aus dem Zusammenhang gerissen, eine gewisse furchtbare Größe besaßen.

„Das war's", sagte der Schriftsteller und schaltete den Projektor aus. „Ganz hervorragend, nicht wahr?"

Ein junger Bursche kam näher.

„Mir hängt's so langsam zum Hals raus", sagte er.

Er blieb stehen, weil das gerade Mode war. Die Worte stolperten aus seinem Mund.

„Wirklich?" fragte Saint-Germain.

„Ja, M'sieur. Und jetzt spielen wir zur Abwechslung wieder mal das Spiel der Wahrheit, stimmt's?"

„Und warum nicht, Monsieur Vérodat?"

„Sie werden mich nie mehr dazu bringen, bei diesem saudummen Spiel mitzumachen!" fauchte der angetrunkene Junge. „Man redet und redet, weiß gar nicht mehr, was man sagt, immer schön sachlich bleiben, wie Sie sagen. Und am Ende stehen alle dumm da. Ein Mädchen..."

Er schluchzte kurz auf.

„... Ich hab sie geliebt, und bei diesem Scheißspiel hab ich sie verloren. Sie sind ein Schwein, Monsieur Saint-Germain!"

„Und Sie ein armer Irrer, Monsieur Vérodat", gab der andere zurück. „Und ich will Ihnen noch was sagen. Sie mögen der Enkel oder Adoptivsohn oder Neffe sein, was weiß ich, von..."

Hier nannte Saint-Germain den Namen eines berühmten Akademiemitglieds.

„... aber Sie kommen gerne in mein Haus, um sich zu besaufen, mit meinen Likören, meinen Schnäpsen..."

„Leck mich am Arsch", knurrte der junge Mann aus gutem Hause.

Ein liebenswürdiges Lächeln umspielte die Lippen des Schriftstellers.

„Das haben Sie mir neulich schon gesagt. Ich hab Ihnen geantwortet, daß ich etwas zu alt sei, um ihren Wünschen zu entsprechen, aber daß Sie sich von dieser Seite her, wenn ich so sagen darf, die schönsten Hoffnungen machen können. Sie haben mich als ‚Scheißkerl' beschimpft und geschworen, nie mehr wieder einen Fuß in meine Wohnung zu setzen. Sieht so aus, als seien Sie doch wiedergekommen. Sonst hätten wir nicht das Vergnügen, uns anschnauzen zu dürfen."

Leichenblaß schrie der junge Mann:

„Scheißkerl!"

„Sie wiederholen sich, Monsieur Vérodat."

„Du auch, du wiederholst dich auch", keifte ein Mädchen, ebenfalls nicht mehr nüchtern. „Läuft er, dein Bestseller?"

„Kümmern Sie sich nicht um meine Kunst, Mademoiselle Agnès."

„Meine Kunst ... meine Kunst ..."

Rémy, der Dichter mit dem feisten Schwammgesicht, packte das Mädchen am Arm und stieß es in eine Zimmerecke.

„Halt die Schnauze", rief er ihr zu.

„Danke, mein Lieber", sagte der Hausherr geschwollen, „aber ich wär sie schon alleine losgeworden."

Nach diesen wohlgesetzten Worten kam es zu einer gegenseitigen Anschnauzerei, die in einem allgemeinen Chaos endete. Also wirklich, für einen Mann von Geschmack wie Saint-Germain ... man hätte meinen können, man wär auf dem Flohmarkt in Saint-Ouen. Die Zwischenfälle führten zum Abbruch des Beisammenseins ... „gemütlich" wäre dafür nicht das richtige Wort. Die Gäste verschwanden nacheinander. Ich schnappte mir Marcelle, die inzwischen völlig außer Gefecht war, und verabschiedete mich ebenfalls.

„Enden Ihre künstlerischen Darbietungen immer so herzlich?" stichelte ich.

„Hab schon Besseres gesehen", erwiderte der Bestsellerautor.

Rémy mit dem aufgedunsenen Gesicht stand wie ein Leibwächter neben ihm.

„Zum Beispiel eine Wohnungseinweihung mit anschließender

Einlieferung ins Hospital. Ein Bombenerfolg."

„Sagen Sie, dieser Vérodat, ist das wirklich ein Verwandter von..."

„Was weiß ich? Angeblich sind das alles Neffen, Cousins oder Brüder von Generälen, Industriellen, Schriftstellern und Politikern. Aber vor allem sind sie völlig abgebrannt, verkrachte Existenzen, Säufer. Und arbeitsscheu. Diese Versager sind froh, hierher kommen zu dürfen. Im Winter zum Aufwärmen, im Sommer zum Erfrischen und das ganze Jahr über zum Besaufen. Aber offen gesagt, ich mag sie."

„Alles steht also zum besten", bemerkte ich.

Dann nahm ich Marcelle unter den Arm und verschwand. Das Mädchen schlief fast im Stehen. Ich hatte nicht grade glänzende Laune. Hatte an einer Reihe von eher deprimierenden Schauspielen teilgenommen, alles in allem: Zimmer 42, *Cave-Bleue*, Wohnung von Germain Saint-Germain. Dieser versnobte Dandy mit dem erlesenen Geschmack! Alles nur Augenwischerei! Aber vielleicht konnte er mir noch von Nutzen sein. Schon für heute nacht würde er mir das fällige Alibi verschaffen... sollten die Flics Wind davon bekommen, daß ich mich hier im Viertel rumgetrieben hatte.

Ich hatte Glück. An der Rue de Fleurus erwischte ich ein freies Taxi. Trotz meiner ramponierten Fassade und Marcelles Zustand ließ der Chauffeur uns einsteigen. Meine Freundin fiel wie ein nasser Sack auf den Rücksitz und fing sofort an, mit dem Motor um die Wette zu schnarchen. Aus ihrem zusammengerollten Trenchcoat fiel etwas auf den Boden: Eine Schallplatte und ein kleines Büchlein. Autor: Rémy Brandwell: Titel: *Schrei des Herzens*. Also noch eine, die man besser nicht in die feine Gesellschaft einführt. Mit ihren langen Fingern... Als wir am Ziel waren, bat ich den Chauffeur mir zu helfen, die stockbesoffene Marcelle in meine Wohnung zu befördern. Er tat es zwar, warf mir als Antwort aber einen zweifelnden Blick zu. Hielt mich wohl für den Sittenstrolch aus dem Bois de Clamart, dem ich im Moment wohl sehr ähnlich sah. Irgendwo im Haus klingelte ein Telefon. Immer lauter, je näher wir meiner Wohnung kamen.

Natürlich bei mir. Ich überhörte das ungeduldige Klingeln. Den Anrufer kannte ich: Jérôme Grandier. Der Teufel sollte ihn holen! Er brauchte gleich nur einen Blick in die Zeitung zu werfen. Dann würde er genausoviel wissen wie ich.

Wir legten Marcelle auf ein Sofa. Ich bedeckte sie mit einem alten Mantel. Dann bezahlte ich den Taxichauffeur. Als er weg war, ging ich in mein Schlafzimmer. Das Telefon hatte inzwischen aufgegeben. Ich zog mich aus und legte mich ins Bett. In meinem Kopf dröhnte Jazzmusik, in meiner Nase hingen immer noch verschiedene anrüchige Gerüche. Ich war zu aufgedreht, um Schlaf zu finden. Also hörte ich auf, ihn zu suchen. Stattdessen nahm ich mir den Gedichtband von Rémy Brandwell vor. Das würde mich auf andere Gedanken bringen. Erst mal bewunderte ich die Widmung für Germain Saint-Germain. Die Schrift eckig, die Worte überschwenglich. Saint-Germain hatte recht: eine Reihe hübscher Wortspiele aus der Zeit *Rose Sélavie*, von Marcel Duchamp und Robert Desnos.

A ist der Fall A, der Fall eins,
ist der Fall eins, der Fall A.

C ist das Feuer.

Wie recht Bergougnoux Saint-Germain hatte. C war das Feuer, vielleicht, aber ganz bestimmt war C auch Cora, seine Gattin, die wanderlustige Schönheit. Ich las weiter:

Errichtet für mein Martyrium
am Kreuzweg der Sehnsüchte
in den offenen Händen
blutende Rosen anstelle von Nägeln
und auf der Brust
die beiden zitternden Schächer …

Hübsch ausgedacht. Dazu noch zwei oder drei recht charmante Einfälle. Schade, daß der Verfasser eine so widerliche Fresse hatte. Aber besser so eine als gar keine. Charlie Mac Gee war auch nicht mehr hübsch anzusehen. Ich legte die Poesie zur Seite und dachte an ernsthafte Dinge.

4.
Untergrundaktionen

Um sechs holte ich mir die Morgenausgaben der Zeitungen. In keiner stand etwas von einer auch nur klitzekleinen Leiche in einem Hotel in Saint-Germain-des-Prés, weder schwarz noch weiß noch gelb.

Von sieben Uhr an klingelte das Telefon wieder fast ununterbrochen, wütend und ungeduldig. Ich ließ es ungeduldig wüten.

Genauso gleichgültig gegenüber dem ständigen Klingeln war Marcelle. Sie lag regungslos auf dem Sofa und schlief brav ihren Rausch aus. Nur ab und zu ein schwacher Seufzer. Sie wurde wohl von Alpträumen verfolgt. Ein herrlicher Kater wartete schon auf sie. Aber im Vergleich zu dem, der in meinem Kopf miaute, war ihrer ein Waisenknabe. Um ihn zu verjagen, aß ich eine Kleinigkeit und schüttete starken Kaffee ohne Zucker nach. Dabei ging ich die Zeitungen nochmal durch. Vielleicht war die gesuchte Meldung ja in letzter Minute noch irgendwo reingerutscht, und ich hatte sie übersehen. Nix. Keine Überraschung für Nestor. Die Ausgaben waren fix und fertig gewesen, vielleicht auch schon ausgeliefert, noch bevor die Flics ihre Untersuchungen am Tatort abgeschlossen hatten.

Was mich interessierte, stand in keinem Blatt. Also las ich das, was mich nicht interessierte. Nur um die Zeit totzuschlagen. Monsieur Bergougnoux-Saint-Germain verfolgte mich. Er drängte sich mir sozusagen als Verdauungsschnaps auf. Hätte drauf verzichten können. Auf der Literaturseite las ich, daß er ein neues Buch schrieb, dessen Erfolg ohne jeden Zweifel den des vorangegangenen Bestsellers in den Schatten stellen würde. Ich seufzte neidisch. Diese Leute wie Saint-Germain waren glücklich dran. Konnten sicher sein, daß das, was sie anpackten, auch von Erfolg gekrönt wurde. Ich wollte, bei mir wär's genauso!

Drei Stunden gingen vorbei. Lange, zähflüssige Stunden. Ich ging wieder runter zum Kiosk. Für die Zeitungsverkäufer war ich heute ein guter Kunde. Ich kaufte die Abendzeitungen, die jetzt am frühen Morgen, in der dritten Abendausgabe erhältlich waren (was mir immer ein Rätsel bleiben wird!). *Crépuscule*, *France-Soir* und *Paris-Presse* meldeten in dicken Schlagzeilen auf der ersten Seite:

DRAMA IN SAINT-GERMAIN-DES-PRÉS

Heute nacht wurde im Diderot-Hôtel am Boulevard Saint-Germain, mitten in der Existentialistentümmelei...

Was sollte das denn sein: Existentialistentümmelei? Na ja, weiter...

... die Leiche eines Schwarzen entdeckt, der vor kurzem aus den Vereinigten Staaten nach Paris gekommen und in diesem Hotel abgestiegen war...

Der unaufhaltsame Abstieg des Charlie Mac Gee!

... Dort hatte er sich unter dem Namen Charles Mac Gee eingetragen. Interpol ist er aber schon seit langem unter verschiedenen Decknamen bekannt. Mac Gee – bleiben wir bei diesem Namen – ist anscheinend das Opfer einer Abrechnung der Unterwelt. Er war so vorsichtig, daß er praktisch nie sein Zimmer verließ...

Es folgte die genau Beschreibung seiner Alarmanlage, einschließlich Kommentar.

... In der Hand der Leiche fand man die Waffe, aus der die tödlichen Schüsse abgegeben wurden. Das sollte einen Selbstmord vortäuschen. Die Verletzungen schließen aber jeden Zweifel aus: Charles Mac Gee ist ermordet worden.

Nach Meinung des Gerichtsmediziners hatte man dem

Schwarzen gegen zweiundzwanzig Uhr sein Schlafmittel mit dem durchschlagenden Erfolg verabreicht. Niemand im Hotel konnte sich erinnern, etwas Verdächtiges gehört zu haben. Den ganzen Abend nicht. Im übrigen hatten die Stammesgenossen der Leiche – völlig unverdächtig – etwa um dieselbe Zeit im Zimmer eines Freundes eine *Jam session* veranstaltet. Mußte ein schönes Spektakel gewesen sein. Darin konnten die Schüsse gut untergehen, zumal die Tatwaffe einen Schalldämpfer hatte. Andererseits konnten die Angestellten nicht mit Sicherheit sagen, ob Leute im Hotel rumgelaufen waren, die nicht zu den Gästen gehörten. Dafür wechselten die Mieter zu oft. Sah schlecht aus für die Verwaltung des Hauses. Ich sah meinen kahlköpfigen Freund, den Nachtportier, dem ich soviel Kummer bereitet hatte, schon ohne Arbeit dastehen. Die Flics hatten Fingerabdrücke gesichert. Die setzen immer ihre Ehre dran, welche zu finden, auch wenn sie dadurch nicht weiterkommen. Als würden sie pro Hautrille bezahlt. Na ja, jedes Vorgehen ist so gut wie das andere. Manchmal zittern den Tätern allein davon schon die Knie.

Mein alter Freund Marc Covet hängte im *Crépuscule* noch eine Kurzbiographie des Verblichenen an:

... Charles Mac Gee war als Drummer in der Jazzformation unter Big Shot Mosey allgemein bekannt und beliebt. Seit langem hat er aber die Künstlerkarriere aufgegeben und sich, neben anderen Geschäften, dem Drogenhandel zugewandt. Bekanntlich rauchen einige Jazzmusiker Marihuana...

Darauf folgte eine kleine Dokumentation. Stimmte zwar hinten und vorne nicht, aber immerhin lobenswert.

... März vergangenen Jahres ermittelte die Sicherheitspolizei in Südfrankreich wegen des dreisten Einbruchs im Château Miramas in Grasse. Damals wurde Schmuck im Werte von 150 Millionen Francs gestohlen, aus dem Besitz der Marquise de Forestier-Cournon. Viele werden sich noch an das spektakuläre Verbrechen erinnern. Trotz vieler Spuren sind die Täter bis heute noch nicht

gefaßt. Auch die Beute ist nicht wieder aufgetaucht. Ein Spitzel der Polizei, der inwzischen tot ist, hatte anscheinend einen Namen genannt. Allerdings nicht Mac Gee, sondern den eines anderen Gangsters. Eigenartigerweise war Charles Mac Gee seit der Zeit unauffindbar, obwohl er nicht verdächtigt wurde. Jetzt hat man ihn gefunden, leider in einem Zustand, der jeden Untersuchungsrichter entmutigt...

Sehr witzig!

... Wird durch den geheimnisvollen Mord von Saint-Germain-des-Prés der sensationelle Fall Forestier-Cournon wieder aufgerollt? Kommissar Faroux von der Kripo, der die Ermittlungen im Diderot-Hôtel leitet, schweigt sich hartnäckig aus.

Durch private Ermittlungen haben wir erfahren, daß der Nachtportier, der die Polizei verständigt hat, gegen zwei Uhr morgens einen Telefonanruf entgegennahm. Der Unbekannte (er nannte sich Desfourneaux, sicherlich ein falscher Name) bestand darauf, mit Charles Mac Gee verbunden zu werden. Kein Zweifel: der Unbekannte wußte, welche Überraschung den Angestellten im Zimmer Nr. 42 erwartete. Der Name, den er gewählt hat, nämlich den des Scharfrichters der Republik, läßt vermuten, daß wir es hier mit dem Mörder selbst zu tun haben. Man muß es ihm zugestehen: er hat Humor...

Ich wunderte mich über die zufällige Namensverwechslung, mit der mein Freund, der Schluckspecht-Journalist, seinen Artikel einigermaßen originell beenden konnte. Noch so ein Glückspilz. A propos Schluckspecht: Zeit, die kleine Marcelle zu wekken und sie ins Bild zu setzen. Ich schüttelte sie. Sie brummte etwas, streckte und reckte sich, gähnte, richtete sich auf, stützte ihren Kopf in beide Hände, öffnete schließlich die Augen. Hätte ich ihr gar nicht mehr zugetraut. Ohne große Begeisterung wünschte sie mir einen guten Morgen, beklagte sich über ihren Brummschädel. Nachdem sie einen glasigen Blick um sich geworfen hatte, stellte sie die übliche Frage:

„Wo bin ich?“

„Bei mir."
„Was ist passiert?"
„Hier nichts."
Ich gab ihr den *Crépu*. Stockend las sie:
„*Drama in Saint-Germain-des-Prés*."
Gähnend ließ sie die Zeitung fallen.
„Was soll'n das?"
„Genau das. Nicht mehr. Geh duschen. Wird dir vielleicht die Augen öffnen."
„Ja, gute Idee ..."
Als sie grad mal nicht gähnte, gelang ihr ein ziemlich blödes Grinsen.
„Und nachher erzählst du, ich wasch mich nie, hm?"
Ich zeigte ihr das Badezimmer. Sie wankte hinein.
Das Telefon brachte sich wieder in Erinnerung. Jetzt konnte ich getrost abheben.
„Hallo."
„Mein Gott! Was für eine Stimme, Chef!"
Die süße kleine Hélène, meine Sekretärin.
„Die Säuferstimme eines Nachtschwärmers", antwortete ich.
„Also wirklich!"
„Tag, Chérie."
„Heben Sie sich Ihren Charme für Monsieur Grandier auf. Wird nötig sein. Er ist ganz schön geladen. Alle zehn Minuten hängt er an der Strippe und fragt mich, ob ich was von Ihnen gehört hab ..."
„Und zwischendurch ruft er hier an. Und bei Ihnen wahrscheinlich auch."
„Genau."
„Mir dröhnt der Kopf bei dem ständigen Gebimmel. Wenn Grandier das nächste Mal anruft, sagen Sie ihm, ich ruf sobald wie möglich zurück."
„Gut... hm... scheint Ihnen aber nicht besonders zu gehen ..."
„Ganz prima geht's mir", lachte ich. „Hab mich in den letzten Tagen mit dem Problem rumgequält, wie ich das Honorar von

Grandier durchbringen könnte. Jetzt hat die Quälerei ein Ende."

„Ist Ihnen was Passendes eingefallen?"

„Das Honorar ist ausgefallen, Herzchen. Schade. Hätte gerne mit Ihnen einen flotten Urlaub gemacht. Aber Geld läuft mir anscheinend nicht nach. Bis später, mein Schatz."

„Hören Sie ..."

Ich legte auf. Selbst die nettesten Worte des Trostes waren unerträglich für mich. Vor allem die netten Worte. Kaum lag der Hörer friedlich auf der Gabel, ging das Gebimmel wieder los. Ich ließ es bimmeln.

Nur mit tropfendem Seifenschaum bedeckt, ansonsten splitternackt, stürzte Marcelle aus der Dusche. Sie hob die Zeitung auf, die sie eben hingeschmissen hatte. Jetzt erst dämmerte ihr, daß in dem Bericht vom Diderot-Hôtel die Rede war. Sie hätte sich damit ruhig noch etwas Zeit lassen können. Mein Fußboden wäre ihr dankbar gewesen.

„Aber da ... da wohn ich doch ... wo das passiert ist!" stammelte sie.

„Hm, ja."

„Verflixt! Was soll die Scheiße?"

„Wahrscheinlich 'n Streit zwischen Negern. Nicht in einem Tunnel, aber genauso undurchsichtig."

„Ist das ..." Sie sah mich komisch von der Seite an. „... Ist das der Kerl, zu dem du mußtest?"

„Nein. Soviel Pech hab ich nun auch wieder nicht", sagte ich so unbeschwert wie möglich. „Aber es wär besser, wenn du nicht drüber reden würdest. Braucht nicht jeder zu wissen, daß ich heut nacht bei dir war ... und noch bei einem anderen Hotelgast. Verstehst du? Also halt die Klappe."

Sie riß die Augen auf.

„Aber du ... du hast doch wohl nicht ..." stotterte sie erschreckt.

„Nein, ich hab ihn nicht getötet", beruhigte ich sie lachend. „Die Uhrzeit stimmt nicht."

„Die Uhrzeit?"

„Geld läuft …

… einem nicht nach." Aber es wächst einem zu, wenn man die richtigen Schritte unternimmt.

„Die Zeit, als der Mord geschah, und die, als ich im Hotel war."

„Ach ja, natürlich, das stimmt..."

„Schön, daß du das einsiehst... Und jetzt trockne dich ab, zieh deine Klamotten an und geh in dein Hotel. Mach den Mund zu, und sperr die Ohren auf! Hör zu, hör zu, wie Roger Nicolas immer sagt." Ich ahmte die Fistelstimme des bekannten Varietékünstlers nach. „Und wenn dir irgendwas merkwürdig vorkommt, erzähl's mir. Im Moment hab ich Zeit genug. Also kann ich sie auch ausfüllen. Schließlich leb ich von geheimnisvollen Verbrechen, vor allem wenn ich schneller bin als die Flics."

Ich legte noch ein paar Francs fürs Taxi drauf, damit sie abhaute. Nichts in der Welt konnte sie am Reden hindern, wenn's ihr danach war. Aber ich konnte ihr doch nicht die Zunge rausreißen!

Als sie weg war, merkte ich, daß sie die Beute ihres nächtlichen Raubzuges bei mir vergessen hatte. Wie gewonnen, so zerronnen. Ich stellte den Gedichtband zu meinen anderen Büchern. Die Platte verschwand in einer Schublade, in der schon Plattennadeln geduldig warteten. Fehlte nur noch der Plattenspieler. Aber Rom ist auch nicht an einem Tag erbaut worden.

Dann ging ich zum Telefon, das sich ausnahmsweise mal ruhig verhielt, und wählte.

„Hallo." Eine Frauenstimme.

„Hier Nestor Burma. Monsieur Grandier, bitte."

Er hatte wohl genaue Anweisungen gegeben. Sekunden später brüllte er mir eines seiner „Ja?" in die Ohren, wovon mein Trommelfell immer noch zittert.

„Haben Sie die Zeitungen gelesen?" fragte ich ihn.

„Natürlich hab ich sie gelesen..."

Mit seiner Stimme konnte er spielend jede Konservendose öffnen.

„... Aber soviel ich weiß, hab ich Sie nicht engagiert, damit Sie mich so was fragen. Ich verlange eine Erklärung."

„Wollte gerade damit zu Ihnen kommen."

„Je eher, desto besser. Haben ja erst runde fünfzehn Stunden Verspätung."

„Bin sofort da."

„Moment! Nicht in mein Büro. Zu mir nach Hause."

„Boulevard Raspail?"

„Ja."

„So gut gefällt mir das Viertel gar nicht mehr."

Er wischte den Einwand zur Seite:

„Hier geht's nicht darum, was Ihnen gefällt oder nicht."

Und legte auf.

* * *

Er wohnte in der Nähe des Hôtel Lutétia, im obersten Stockwerk eines prachtvollen Hauses, mit Blick auf das Militärgefängnis. Schon alleine deswegen war mir meine Wohnung lieber.

Sobald er mich sah, ging er zum Angriff über:

„Burma, ich bin mit Ihnen nicht zufrieden!"

„Na ja", parierte ich, „Sie sind eben kein Napoleon, das ist alles!"

Ohne seine Aufforderung abzuwarten, setzte ich mich. Jérôme Grandier blieb vor Überraschung der Mund offenstehen. Ein untersetzter Mann mit kurzen Beinen, auf dem Buckel muntere sechzig Jahre und auf dem Kopf das Toupet von Charles Boyer, dem er ziemlich ähnlich sah. Vor allem, wenn er seine dicke Hornbrille abnahm. Er war immer angezogen, als wollte er zu einer Verwaltungsratsitzung. So falsch war das gar nicht. Er hatte eine gute Position bei der bekannten Internationalen Versicherungsgesellschaft, von der jeder weiß, daß sie fest in englischer Hand ist. Im allgemeinen hatte er sich sehr gut in der Gewalt, und sein Benehmen war äußerst korrekt. Heute allerdings traf beides nicht zu, wie schon im März vergangenen Jahres, als er von dem Diebstahl im Schloß Miramas in Grasse gehört hatte. Jetzt mußte die arme, finanziell so schlecht gestellte Marquise de Forestier-Cournon in denselben Volksküchen essen wie der Aga-Khan! Monsieur Grandier hatte gezittert vor Wut, geflucht wie ein Kutscher, und der kalte Schweiß war ihm ausgebrochen. Schmuck im Werte von 150 Millionen war der vornehmen Dame geklaut worden, wie eine Blume aus der Vase. Und genau für diese Summe waren die Klunker bei Grandiers Gesellschaft versichert gewesen. Ein harter Schlag. Versicherungen kassieren gerne, trennen sich aber ungern wieder von ihrem Geld. Grandier hatte versucht, so wenig Federn wie möglich zu lassen. Hatte den kleinen lieben Nestor damit beauftragt, Kontakt zu den Dieben aufzunehmen, mutterseelenallein. Denn die Detektive der Gesellschaft sollten sich die Finger bei einem so dreckigen Geschäft nicht schmutzig machen. Ja, eine knifflige Aufgabe. Und dazu noch immer die Flics im Nakken! So hatte der kleine Nestor nicht in gewohnter Weise glänzen können. Da mußte ich meinem Auftraggeber wohl oder übel zustimmen.

Jérôme Grandier regte sich wieder ab.

„Seien Sie mir nicht böse", sagte er und spielte mit seiner Brille, „aber Sie müssen doch zugeben ..."

„Nicht meine Schuld", verteidigte ich mich. „Hier und da 'ne Leiche, dagegen hab ich ja gar nichts. Ist sogar nötig für meine Gesundheit. Aber ich sag Ihnen ganz offen: heute nacht wär's mir lieber gewesen, Mac Gee lebend anzutreffen."

Er setzte seine Brille wieder auf.

„Erzählen Sie!"

„Zuerst hat alles prima hingehau ..." Ich holte meine Pfeife raus, stopfte sie und zündete sie an, ohne erst um Erlaubnis zu bitten. „Wie ich Ihnen schon neulich sagte, will es der Zufall ..."

„... den Sie etwas voreilig als glücklich bezeichneten", bemerkte Monsieur Grandier humorlos.

Ich zuckte die Achseln.

„... kenne ich zufällig im Diderot-Hôtel ein junges Mädchen, das mir als Alibi dienen konnte ..."

„Ja ... Und das hat Zeit gekostet. Und das ist es auch, was ich Ihnen zum Vorwurf mache, Burma. Nicht die Leiche. Für die können Sie nichts. Aber wenn Sie sich beeilt hätten ..."

„Ich kann auch nicht hexen. Verdammt nochmal!" explodierte ich. „Man hätte das ganz einfach erledigen können. Mac Gee, seit kurzem wieder in Paris, versteckte sich, verbarrikadierte sich in diesem Hotel. Hatte vor irgendwas oder irgendwem Angst. Sie selbst haben das in Erfahrung gebracht. Besser gesagt, es ist Ihnen zugetragen worden."

Er nickte stumm. Ich fuhr fort:

„Eine kleine Taxifahrt hätte dem Schwarzen doch nicht wehgetan. Und Sie brauchten ihn nur hier oder in der Firma zu empfangen."

„Kommt gar nicht in Frage", protestierte Grandier heftig. „Meine Gesellschaft muß auf jeden Fall bei dieser Aktion aus dem Spiel bleiben."

Ich lachte.

„Tja... und die Drecksarbeit für Nestor! Denn das ist es, Monsieur: eine Drecksarbeit. Die Flics können mich mal, die haben mich noch nie riechen können. Schon seit ich laufen kann, bin ich denen auf den Wecker gefallen. Aber wenn die wollen, können die mich aufs Kreuz legen, mir meine Karriere versauen. Mich daran hindern, meine Brötchen zu verdienen. Und genau das werden die machen, wenn sie mich bei dieser Drecksarbeit erwischen. Also muß ich vielleicht etwas vorsichtig sein, oder? Schließlich bin ich kein ausrangierter Flic, der jetzt privat rumschnüffelt und bei seinen Ex-Kollegen entsprechenden Kredit hat. Ich bin Privatdetektiv geworden, so etwa wie andere Leute Dichter werden. Nur daß ich Aktenordner im Regal hab und keine Gedichtbände. Ich bin Einzelkämpfer. Leb von der Hand in den Mund. Keiner hilft mir dabei, oder fast keiner. Etwa so wie einer, der in den Dschungel geht, ein Gewehr in der Hand, um sich seine zwei Mahlzeiten und sein Päckchen Tabak für den Tag zu schießen. Sie sehen, das Frühstück laß ich schon weg. Oh! Ich möchte mich nicht über mein Schicksal beklagen. Hab's ja nicht besser gewollt. Aber trotzdem, so'n bißchen muß ich schon mal aufpassen. Um überleben zu können."

„Regen Sie sich doch nicht so auf", versuchte der Versicherungsmensch mich zu beschwichtigen. Er war doch etwas unruhig geworden.

„Es geht schon wieder", sagte ich. „Das mußte mal gesagt

werden. Aber für heute ist meine poetische Ader erschöpft. Kommen wir auf Charlie Mac Gee zurück. Man konnte ihn nur in seinem Hotel treffen, und zwar schön vorsichtig. In Ihrem wie in meinem Interesse. Ich durfte nicht gesehen werden. Also konnte ich nicht an der Rezeption nach ihm fragen. Eine Kriegslist mußte her. Dadurch wurde zwar der Ruf meiner kleinen Freundin etwas angekratzt, aber die hat schon Schlimmeres erlebt..."

Monsieur Grandiers Geste ließ darauf schließen, daß ihm der Ruf eines Kellerkindes, das am Tag von dreißig Francs lebt und manchmal noch nicht mal davon, einigermaßen scheißegal war.

„Meine Rechnung ging auf, nur... Mac Gee war tot. Peng!"

„Sie hätten mich vom Ergebnis Ihrer Aktion unterrichten sollen, wie vereinbart. Auch wenn's so unerfreulich war."

„Und was hätte Ihnen das geholfen? Wichtiger war, das Mädchen abzulenken und vom Ort des Geschehens fernzuhalten..."

Ich erklärte ihm, warum.

„Ja, ja natürlich", stimmte er mir zu. „Waren Sie der anonyme Anrufer im Hotel?"

„Ja. Je eher die Leiche entdeckt wurde, desto besser."

„Haben Sie wenigstens das Zimmer durchsucht?"

„Klar. War 'ne Viertelstunde da drin. Meine Klamotten muß ich desinfizieren lassen. Vom Schmuck keine Spur, wenn Sie das meinen. Sonst läg er doch schon auf Ihrem Schreibtisch."

„Ob er ihn überhaupt besaß?" fragte Grandier seufzend.

Vor zwei Tagen hatte er sich die Frage gar nicht gestellt. Für ihn war der Fall schon im voraus erledigt gewesen. Nur, inzwischen war Mac Gee erledigt. Völlig.

„Gestern hätte ich's nicht beschworen", antwortete ich. „Aber jetzt bin ich ganz sicher, daß er den Schmuck hatte. Deswegen ist er ermordet worden."

„Kompliziert..."

Monsieur Grandier setzte seine Brille wieder auf. Erschöpft strich er sich übers Gesicht.

„... Diese Geschichte macht mich noch ganz fertig."

„Es gibt eine Möglichkeit, Ihre Gesundheit wiederherzustellen: Blättern Sie der Alten die hundertfünfzig Millionen hin."

Er fuhr auf.

„Monsieur Burma, Sie stehen in dem Ruf, über eine gewisse Intelligenz zu verfügen. Verderben Sie ihn nicht durch so dumme Vorschläge. Völlig ausgeschlossen, daß wir der Marquise das Geld auszahlen, wenn noch die geringste Hoffnung auf eine andere Regelung besteht. Mit einem Zehntel der Summe können wir den Schmuck wiederbekommen. Früher oder später – lieber natürlich früher, unsere Kundin wird nämlich so langsam ungeduldig – früher oder später jedenfalls werden die Diebe gezwungen sein, Kontakt mit uns aufzunehmen. Ihre Beute ist nicht zu verhökern..."

„Vorsicht!" lachte ich. „Ich kannte mal einen Gauner, den beeindruckte der eigentliche Wert der Schmuckstücke überhaupt nicht. Aus dem Klimbim der Madame de Forestier-Cournon hätte der irgendwas gemacht. Sie hätten nichts mehr davon gesehen, jedenfalls nicht in der ursprünglichen Form. Und dann hätte er's irgendwie zu Geld gemacht, zu mehr, als Sie anbieten. Und zwar ohne seine Identität preiszugeben."

„Das kann ich nicht glauben", versicherte der Vertreter der Versicherungsgesellschaft. Dabei wurde er immer unsicherer.

„Trotzdem ist es wahr. Aber seien Sie unbesorgt, der Kerl ist inzwischen tot."

„Gott sei Dank! Sagen Sie... wer könnte Ihrer Meinung nach Mac Gee umgebracht haben?"

„Keine Ahnung."

„Haben Sie die letzte Ausgabe des *Crépuscule* gelesen?"

„Nein."

„Es gibt da was Neues. Eine überstürzte Abreise..."

Er reichte mir die oberste Zeitung von dem Stapel auf seinem Schreibtisch. Mit dem sorgfältig manikürten Fingernagel deutete er auf eine kurze Notiz.

... Die Beamten der Kripo sind bei ihren Ermittlungen auf eine interessante Tatsache gestoßen. Ein anderer Hotelgast, ein Weißer namens Roland Gilles, angeblich ein Freund oder Be-

kannter des Ermordeten, hat in der Mordnacht das Diderot überstürzt verlassen. Sollte er sich nach den wiederholten Aufrufen durchs Radio nicht am Quai des Orfèvres oder bei einer anderen Polizeidienststelle melden, muß er als höchst verdächtig gelten.

„Hm", macht ich. „Dieser Roland Gilles war doch der Mann, der Sie, mit Mac Gees Einverständnis, über dessen Aufenthalt in Paris informiert hat, stimmt's?"

„Ja", bestätigte Grandier.

Er legte den *Crépu* wieder auf den Stapel.

„Was halten Sie davon, Burma?"

„Tja, vielleicht ist er tatsächlich der Mörder. Oder er ist vor dem wirklichen geflüchtet. Oder das ist alles purer Zufall."

„Wir möchten, daß Sie das rausbekommen."

Ich schüttelte den Kopf.

„Tut mir schrecklich leid, Monsieur. Aber ich kann unmöglich in dem Hotel rumschnüffeln. Kommissar Faroux leitet die Untersuchung. Wenn ich dem dabei in die Quere komm, weiß er sofort Bescheid. Er ist ein Freund von mir. Aber an erster Stelle ist er Flic. Wär gar nicht gut für alle Beteiligten."

„Hm ..."

Ein seltsames Schnalzen verriet mir, daß mein Gegenüber den Einwand abwägte.

„... Vielleicht haben Sie recht ... Und was nun?"

„Ich glaube, wir sollten warten. Wenn irgendetwas rauszukriegen ist, dann werden's die Flics schon rauskriegen – leichter als ich."

„Die haben sich doch von Anfang an geirrt", brummte Grandier. „Schon seit dem Diebstahl. Warum sollte sich das ändern?"

Er war zwar von Berufs wegen nicht gegen die Polizei, vertraute ihr aber auch nicht blindlings. Ziemlich komisch.

„Andererseits", fuhr er fort, „wenn Roland Gilles seinen Freund getötet hat, um Ihre Prämie alleine zu kassieren, dann wird er sich bestimmt bei Ihnen melden. Sollte er aber vor dem wirklichen Mörder fliehen, wird er das auch tun."

„Und wenn wir weder von ihm noch von sonst jemandem hören, was dann?"

„Gedulden wir uns ein paar Tage. Hat sich Gilles nicht gezeigt, sagen wir bis Montag, dann gehe ich der Sache weiter nach. Aber im Augenblick, mit dem ganzen Haufen Flics, die sich in Saint-Germain-des Prés rumtreiben, halt ich mich lieber abseits."

Seufzend erhob sich Monsieur Grandier.

„Gut", willigte er ein. „Außerdem, ein paar Tage mehr oder weniger, jetzt..."

„Genau, das wäscht jetzt auch keinen Mohren mehr weiß."

Wir zwei hatten uns nichts mehr zu sagen. Ich verabschiedete mich.

Zu Hause angekommen, hatte ich nur noch einen Wunsch: Schlafen, nichts als schlafen. Wie ein Toter.

Ich legte mich ins Bett. Nicht alleine. Neben mir schlummerte die Hoffnung, Florimond Faroux möge bis Montag den Mörder, den Schmuck der Marquise und alles finden, was er sonst noch wollte. Zum Teufel mit dem ganzen Kram. Wollte nichts mehr davon hören. Wenn ich nur dran dachte, kam's mir hoch.

Aber vielleicht war das auch nur von der Müdigkeit oder dem Kater. Oder dem Geruch aus dem Totenzimmer, den ich immer noch in der Nase hatte. Nichts in dem ganzen Durcheinander schien mir sauber, offen und ehrlich zuzugehen. Irgendetwas war hier oberfaul, zum Kotzen. Es gibt so Tage, an denen bläst die Trübsal den Zapfenstreich.

5.
Der wache Schläfer

Man ändert sich nie.

Ich wartete natürlich nicht bis zum nächsten Montag, um mich wieder hinter den Fall zu klemmen. Dabei verdiente dieser Montag durchaus Beachtung. Er fiel auf den 13., das Fest des Hl. Antonius von Padua, des lieben Jungen, der für die verlorenen Sachen zuständig ist. Der Tag konnte einem also schon gefallen. Ich hätte mich wirklich bis dahin gedulden können. Aber das ist leicht gesagt. Freitag nachmittag, zwei Tage nach meinem Gespräch, am 10. also, bekam ich einen Anruf. Ich blätterte gerade die Zeitungen durch. Marcelle war am Apparat.

„Hab vielleicht was für dich."

„In Zusammenhang damit?"

„In Zusammenhang womit? Ach ja! Bin ich blöd? Hab nicht gleich kapiert. Ja, in Zusammenhang damit."

„Interessant?"

„Glaub schon."

Klang nicht sehr überzeugend. Verdammter Struwwelpeter! Ich sah sie in ihren ausgelatschten Schuhen vor mir. Wollte sich bestimmt elegantere kaufen. Na ja...

„Und was genau hast du für mich?"

„Können wir uns nicht treffen?"

Klar, Geld kann man schlecht durchs Telefon schieben. Wir mußten uns schon gegenübersitzen.

„Wenn du willst."

„Ich bin um sechs im Échaudé."

„Gut. Hattest du keinen Ärger?"

„Nein."

„Um so besser."

„Bis heute abend."

„Ja."

Interessant! Von wegen. Sollte sie warten!

Ich nahm mir wieder meine Zeitungen vor. Seit dem 8. Juni las ich ständig Zeitung. Die Ermittlung im Fall Diderot-Hôtel kamen nicht vom Fleck. Von Fingerabdrücken war nicht mehr die Rede. Waren wohl zwischen dem Boulevard Saint-Germain und der Tour Pointue verlorengegangen. Dafür hielten es die Journalisten für immer wahrscheinlicher, daß der Schmuck der Marquise eine Rolle bei dem Mord gespielt hatte. Man munkelte, Charlie Mac Gee habe den Dieben die Beute geklaut. Diese hätten ihn dann umgelegt, um ihren Schatz zurückzuerobern.

Florimond Faroux hatte von meiner Anwesenheit im Zentrum des Geschehens keinen Wind bekommen. Beehrte mich weder mit seinem Besuch noch mit einem Telefonanruf oder einer Vorladung. Mir sollte es recht sein.

Bis fünf Uhr hatte ich genug mit den Zeitungen zu tun. Um halb sechs jedoch setzte ich mir meinen Hut auf und nahm Kurs aufs „Dorf", Pfeife im Mund. Man ändert sich nicht. Auch wenn man manchmal auf die Schnauze fällt.

* * *

Das Échaudé hatte gerade erst seine Pforten geöffnet. Außer Louis hinter der Theke war noch ein anderer Kellner da. Henri tauchte nie vor zehn Uhr auf. Louis wischte noch schnell über die Theke. Sein Kollege stellte gerade die letzten Stühle um die Tische. Aus dem Radio klang gedämpft sanfte Klaviermusik. Keine weiteren Geräusche. Nur spärliches Licht. Gerade mal eine Wandleuchte brannte, ganz hinten im Lokal. Die Hitze war erträglich. Keine Gäste, außer Marcelle. Sie saß unter dem Plakat von *Chéri-Bibi* und rauchte. Vor sich ein leeres Glas, das nur auf mich wartete, um wieder gefüllt zu werden. Ich setzte mich neben meine Freundin.

„Hab's eilig", sagte ich. „Was hast du für mich?"

„Ich hab's auch eilig", erwiderte sie. „Hab noch 'ne Verabredung im Flore, um halb. Aber was ich dir zu sagen habe, ist schnell gesagt, ... Den Jungen im Hotel haben sie rausgeschmissen."

„Den Portier?"

„Ja."

„Ist das alles?"

„Ja."

„Hör mal, meine Süße. Genauso hab ich mir das gedacht. Das ist die beiden Gläser hier nicht wert. Werd ich trotzdem bezahlen. Dummheit muß eben bestraft werden. Aber belästige mich bloß nicht noch mal wegen solcher Kleinigkeiten. Sie haben den Portier rausgeschmissen! Ja und? Meinst du etwa, das haut mich vom Hocker?"

„He, ist ja gut", sagte die Kleine enttäuscht. „Wußte nicht, daß du's schon wußtest."

Ich zuckte die Achseln.

„Ich wußte es nicht, aber gedacht hatte ich's mir. Einer, der bei der Arbeit pennt, und das in der Nacht der langen Messer! Konnte wohl kaum mit 'ner Gehaltserhöhung rechnen."

„Moment!" sagte sie, plötzlich lebhaft geworden. „Bernard hat nämlich gar nicht gepennt ... ich meine ... das ist keiner, der pennt."

„Ach nein? Und was hat er gemacht, als wir uns reingeschlichen haben? Hat nicht mal geknurrt, als du ihn berührt hast."

„Aber von dem ist doch gar nicht die Rede!"

„Von wem denn?"

„Von Bernard. Der Glatzkopf, den du gesehen hast, heißt Désiré. Bernard hatte vor ihm Dienst, zu der Zeit, als der Schwarze vermutlich getötet wurde."

„Ja und?" fragte ich wieder. „Dein Bernard hat vielleicht ebenalls geschnarcht. Soll vorkommen."

„Das hat er den Flics und seinem Chef erzählt. Sei leicht besoffen gewesen, und dann die Hitze und so ..."

„Siehst du!"

„Aber das glaub ich nicht!" rief sie so überzeugt, daß ich sie aufmerksam ansah. „Ich weiß nicht, wie ich's dir erklären soll.

Aber Bernard ist keiner, der bei der Arbeit pennt. Ganz im Gegenteil! Verdammt wach, egal welche Uhrzeit oder Temperatur. Hab ihn auch nie blau gesehen. Und ausgerechnet in der Nacht soll er sich besoffen haben und eingeschlafen sein? Sehr seltsam. Und auch, daß er sich widerspruchslos rauswerfen ließ... Sonst hat er immer 'ne große Schnauze. So! Und das interessiert dich nicht?"

Ich lächelte gewinnend.

„Entschuldige, hab's nicht so gemeint."

„Also interessiert's dich doch?"

„Mehr oder weniger. Ist Bernard sein Vor- oder Familienname?"

„Vorname. Bernard Lebailly."

„Natürlich wohnte er im Diderot."

„Ja."

„Und jetzt..."

„Tja, jetzt... nein, weiß ich nicht."

„Wie sieht er aus?"

„Groß, blond, ziemlich lange Nase. Geht etwas gebeugt. Narbe an der Wange. Zwischen dreißig und vierzig. Blaue Augen. Glatte Haare..."

Und Plattfüße. Und am Gelenk 'ne Armbanduhr. Bei fünf Millionen Einwohnern würde er mit bestimmt eines Tages über den Weg laufen. Ich legte einen Tausender als Untertasse unter Marcelles Glas.

„Vielleicht ist deine Information mehr wert, vielleicht auch weniger", sagte ich. „Die Endabrechnung machen wir später, falls nötig. Danke erst mal."

„Auch so."

Sie schob den Schein in die Tasche und stand auf.

„Jetzt muß ich aber rüber." Sprach's und verschwand.

Ich sah auf meine Uhr. Gleich sieben. René Hervé war vielleicht noch in seinem Büro im Gewerkschaftshaus. In meinem Beruf hat man oft mit Hotelpersonal zu tun, mit Kellnern oder Pagen. Nicht schlecht, wenn man den Beichtvater dieser Jungen kennt. René Hervé leitete seit langem die Geschicke ihrer Gewerkschaft. Als mein langjähriger Freund hatte er sich daran gewöhnt, für mich das Berufsgeheimnis zu verletzen, ohne seinen Schützlingen Unannehmlichkeiten zu bereiten. Denn ich verhalte mich korrekt und mach ihnen keinen Ärger. Ich versuchte, ihn vom Échaudé aus anzurufen. Er war aber leider nicht mehr in der Rue du Château-d'Eau.

Später am Abend konnte ich ihn in seinem Hotel erreichen. Er wohnte nämlich im Hotel. Vielleicht wurde er von Nichtorganisierten bedient. Ich bat René um die Adresse von Bernard Lebailly, falls dieser eine hatte und bei ihm Mitglied war. Er versprach sie mir für den nächsten Morgen.

* * *

Samstag morgen, den 11. Juni, rief er mich gegen zehn Uhr an:

„Der ist nicht mehr bei uns. Vor etwa einem Jahr ist er ausgetreten. Damals wohnte er in der Rue du Pont-de-Lodi, aber jetzt..."

„Man zieht nicht mehr so schnell um wie vor dem Krieg", sagte ich. „Danke jedenfalls."

Das entsprechende Mietshaus in der Rue du Pont-de-Lodi sah sehr bescheiden aus. An Miete brachte es sicher nicht viel ein. Die Concierge erinnerte nur sehr entfernt an Martine Carol.

„Polizei", sagte ich im schroffen Ton eines schroffen Polizisten. Dazu hielt ich ihr einen Ausweis vom *Touring-Club* unter die Nase, damit sie was von der großen weiten Welt sah.

„Vielleicht war schon jemand hier, aber..."

„Polizei?" empörte sie sich. „Nein, von der Polizei war niemand hier. Warum sollte einer hier gewesen sein? Dies ist ein ehrenwertes Haus..."

„Daran zweifelt auch niemand. Nur liegt da nicht das Problem. Bernard Lebailly wohnt doch hier, oder?"

„Natürlich wohnt er hier. Hat ein kleines Zimmer, oben unterm Dach. Was wollen Sie von ihm?"

„Mit ihm reden. Ist er zu Hause?"

„Er ist sehr selten zu Hause. Klar, bei seinem Beruf..."

„Im Moment ist er arbeitslos. Nachlässigkeit im Dienst. War

im Diderot-Hôtel angestellt, da, wo man diesen Schwarzen umgebracht hat..."

„Auch wenn Sie von der Polizei sind... Sie erzählen mir da nichts Neues. Monsieur Lebailly hat mir gesagt, daß er rausgeschmissen worden ist... Ein Jammer ist das... wegen einem Neger... Ach, da fällt mir ein... aber... sagen Sie mal... Hab ihn seitdem nicht mehr gesehen, seit er mir's erzählt hat... Wird doch nicht... wird doch nicht..."

„Wird doch nicht was?"

„Sich aufgehängt haben? Gibt welche, die hängen sich auf, wenn Sie keine Arbeit mehr haben. Hier im Haus auch schon mal einer. Wir müssen nachsehen... wir beide... Sie sind doch von der Polizei..."

Sie holte einen Passepartout. Dann stiegen wir gemeinsam unters Dach. Bernard Lebailly hatte sich nicht aufgehängt. Auch nicht vergiftet. Überhaupt nichts. Sein schäbiges Zimmer stank vor Dreck. Aber, wie die Concierge sagte, bei seinem Beruf war er nicht häufig zu Hause. Ich warf nur einen kurzen Blick hinein. Das Bett war etwa während der letzten Kriegserklärung zum letzten Mal frisch bezogen worden. Drei zerfledderte Kriminalromane genossen die wohlverdiente Ruhe auf einem wackligen Stuhl. Sonst sah ich nichts, was mich interessierte.

„Ach ja!" seufzte die Concierge. „Ich muß mich immer gleich so aufregen. Ist aber auch Ihre Schuld. Hätten Sie mir keinen Schrecken eingejagt... Ist doch ganz einfach: Seit neulich hab ich ihn nicht gesehen. Und danach? Er sucht Arbeit, klar! Geht früh weg und kommt spät wieder."

„Gut möglich", pflichtete ich ihr bei.

Wir gingen wieder runter.

„Wenn ich ihn seh, soll ich ihm dann sagen, er soll zu Ihnen kommen, M'sieur Inschpekter?"

„Nein. Ich komm wieder vorbei."

„Ein Jammer ist das", brummte sie vor sich hin. „Und alles wegen einem Neger! Als gäb's nicht genug davon hier in der Gegend! Wohlgemerkt, hab nichts dagegen, aber ich sag, wie's iss. Die Schwarzen lassen sich abmurksen, und die Weißen haben den Ärger ...“

Ich ließ die Alte mit ihren rassistischen Betrachtungen alleine. Von der nächstbesten Telefonzelle rief ich Hervé an.

„Noch eine zusätzliche Information, bitte“, bat ich ihn. „Mein Zeuge hat seine Stelle verloren. Ich möchte wissen, ob er 'ne neue sucht. Wo hängt die Arbeitsvermittlung rum?“

„Nur für Mitglieder. Die Nichtorganisierten suchen auf eigene Faust.“

„Und wie?“

„Gibt so 'ne Art Agenturen. In irgendwelchen Bistros. Warte, ich geb dir 'n paar Adressen.“

Eine dieser „Agenturen“ befand sich in der Rue Guisarde. Das war die nächste, also nahm ich sie mir als erste vor. Nah oder weit, jedenfalls brachte mich dieser Bernard Lebailly ganz schön auf Trab. Und vielleicht für die Katz. Obwohl ... Nein. Ich hatte das Gefühl, irgendetwas in der Hand zu haben. Eine Spur. Fein und dünn wie ein Nylonfaden. Und vielleicht weniger strapazierfähig. Trotzdem, besser als nichts.

Das kleine Bistro in der Rue Guisarde befand sich ganz in der Nähe des Grand-15. Dieses neue Restaurant zieht die allgemeine Aufmerksamkeit durch eine rote Laterne von Marthe Richard auf sich. Die getarnte Agentur war ein Reinfall. Niemand schien geneigt, mir einen Tip zu geben. Ich beschloß, meine Zeit nicht länger zu vertrödeln und abzuhauen. Über die Rue des Canettes und die Rue des Ciseaux gelangte ich wieder auf den Boulevard Saint-Germain. Ein flüchtiger Blick hinüber zum ungesunden Diderot-Hôtel. Dann nach links. Ich war gerade darin vertieft, die köstlichen Bilder von normalen und anormalen Lebergrößen in den Schaukästen der *Nationalen Liga gegen den Alkoholismus* miteinander zu vergleichen. Da rief eine fröhliche Stimme hinter mir:

„So in Sorge, Dynamit-Burma?“

Nur einer in Paris konnte das sein: Paul Boubal, *patron* des Flore. Ich drehte mich um. Er war's wirklich. Innerlich verzog ich das Gesicht. War mir nicht ganz sicher, ob ich ihm noch Geld schuldete. Aber er wußte es bestimmt.

„Oh! Salut", begrüßte ich ihn. „Hab grade festgestellt, daß so 'ne kranke Leber viel mehr hergibt als eine normale, ästhetisch meine ich. Welche Farbenpracht! Genau das Richtige, um die Maler hier im Viertel zu inspirieren."

„Sag ich doch immer", lachte Boubal. „Und sonst, geht's?"

„Geht so."

„Wolltest du zu mir?"

„Äh ... hm ..."

Er nahm meinen Arm.

„Gehen wir zusammen. Ich zahle."

„Um Gottes willen, nicht so hastig! Ich könnte herzkrank geworden sein, seit wir uns das letzte Mal gesehen haben ..."

Wir überquerten den Boulevard, gingen erhobenen Hauptes am Deux Magots vorbei ins Flore und setzten uns an den Tisch neben der Kasse.

„Zwei Kleine, Pascal."

„Guten Tag, M'sieur Burma. Schön, Sie wieder mal zu sehen", begrüßte mich der sympathische Kellner sehr freundlich , als er die Getränke brachte.

„Salut, Pascal."

„Auf dein Wohl", prostete mir Boubal zu.

„Und keine Scherben!"

„Da fällt mir was ein", sagte der *patron* des Flore stirnrunzelnd.

Er stand auf und verschwand in der Küche. Wahrscheinlich sah er nach seinem Geschirr. Scherben bringen Glück. Aber Boubal hat lieber etwas weniger Glück und dafür mehr heiles Geschirr. So war er immer schon, jedenfalls die fünfzehn Jahre, die ich ihn kenne.

Ich sah mich im Café um. Das gute alte Flore! Hatte sich kaum verändert. Höchstens die Gäste, vielleicht. Aus einer Ecke des Lokals winkte mir jemand freundschaftlich zu. Ein eleganter Herr mit schneeweißem Haar. Monsieur Germain Saint-Germain höchstpersönlich, umgeben von einer kleinen Schar von Bewunderern und -innen in Bluejeans. Rechts vom Meister der junge Dichter mit dem feisten, wächsernen Gesicht: Rémy

Brandwell. Auch Vérodat war dabei, der junge Mann, der den Schriftsteller wie stinkenden Fisch beschimpft hatte. Alles wieder versöhnt, dicke Freunde, als wär nichts geschehen. So wie's aussah, ersetzte der Bestseller-Autor ganz alleine Jean-Paul Satre und Simone de Beauvoir gleichzeitig.

Ich winkte ziemlich reserviert zurück und sah schnell woanders hin, um jeden weiteren Annäherungsversuch im Keim zu ersticken.

Pascal gab gerade einem Gast das Wechselgeld zurück. Der Gast stützte seinen Kopf in die rechte Hand und schien nachzudenken.

„Tja, jetzt sitzt du vor der Theke", sagte Pascal zu ihm.

„Jeder ist mal dran, sich bedienen zu lassen", erwiderte der Gast.

„Genieß es. Wird nicht lange dauern. Man muß leben."

„Im Augenblick laß ich mich treiben."

Pascal steckte das Trinkgeld ein und ging weg. Jetzt konnte ich den Gast richtig sehen. Auch hatte er nicht mehr seine Wange in die Hand gestützt, und... Verdammter Bouball! Dafür, daß er mir von Nutzen gewesen war, wenn auch unfreiwillig, mußte ich doch noch meine Schulden bei ihm bezahlen!

Der Junge, der sich gerade auf die Socken machen wollte, hatte eine Narbe auf der Wange. Er war zwischen dreißig und vierzig, hatte blaube Augen, glattgekämmte Haare, einen langen Riecher. Und leicht gebückt hielt er sich auch, mein wacher Schläfer, der gefeuerte Portier vom Diderot-Hôtel, den ich die ganze Zeit suchte. Bernard Lebailly! Sobald er zur Tür raus war, trank ich aus und stand auf.

„Entschuldigen Sie mich bei Boubal", sagte ich zu Pascal. „Aber ich hatte vergessen, es ist ja Samstag. Hab noch was Dringendes vor."

Damit verließ ich das Flore.

Der Lebenskünstler ging in Richtung Rue des Saints-Pères, langsam, friedlich, leicht schwankend. Ich folgte ihm.

Er überquerte den Boulevard und bog in die Rue du Dragon ein. Vor den *Cahiers d'Art* blieb er stehen, schüttelte den Kopf angesichts eines Bildes von Yves Tanguy. Offensichtlich hatte er keinen blassen Schimmer von dieser Art Malerei. Dann ging er weiter. Carrefour de la Croix Rouge, Rue du Vieux-Colombier. Ganz gemütlich schlenderte er dahin, wie ein kleiner Angeber. So kam er schließlich auf die Place Saint-Sulpice. Zwischendurch kaufte er sich an der Ecke Rue Bonaparte ein Päckchen Zigaretten, steckte sich eine in den Mund, blieb stehen, um sie anzuzünden, in aller Ruhe. Dann blieb er noch 'ne halbe Minute vor der Kirche stehen, betrachtete sie, stieß den Rauch durch die Nase aus. Vielleicht rezitierte er für sich das Gedicht von Raoul Ponchon:

Je hais les tours de Saint-Sulpice
Quand je les rencontre
je pisse
contre

Schließlich ging er weiter. Rue Saint-Sulpice. Ein interessierter Blick in die Schaufenster einer Devotionalienhandlung, dann links in die Rue Mabillon und sofort rechts in die Rue Lobineau. Er hatte keine Eile, schlenderte, ließ sich Zeit. Nur nicht schwitzen! Immer schön im Schatten! Kurz, er ließ sich treiben, wie er zu Pascal gesagt hatte. Kümmerte sich einen Dreck darum, ob jemand ihm folgte. Nicht ein einziges Mal drehte er sich um. Ruhig, friedlich und sorglos, schweigend wie Baptiste. Eine Buchhandlung zog seine Aufmerksamkeit an. Aber nicht lange. Malerei und Literatur waren nicht seine Sache. Als ich in seinem Kielwasser an dem Schaufenster vorüberging, sah ich, neben anderen Büchern, unter einem Bild des Meisters den Bestseller von Germain Saint-Germain. Im Augenblick interessierte ich mich allerdings mehr für Bernard Lebailly. Er überquerte die Rue de Seine und kam so in die Rue des Quatre Vents. Hier verschwand er in dem schmalen Eingang eines alten abbruchreifen Hauses. Wenn man dem Schild über dem Eingang glauben konnte, befand sich im Hof eine Kunsttischlerei.

Der gute Mann hatte einen verdammt großen Umweg gemacht. Einen eventuellen Verfolger wollte er offensichtlich nicht abschütteln. Also folgerte ich, daß er keinen gesteigerten Wert darauf legte, in die Nähe des Diderot-Hôtel zu kommen. Vielleicht wollte er aber auch ganz einfach nur spazierengehen.

Ich folgte ihm in die Bruchbude. In dem dunklen Flur war es feucht und kühl. Es roch gut nach Sägemehl. Die Treppenstufen ächzten unter dem Gewicht des Mannes, der langsam hinaufging. Ich hörte, wie er mit den Schlüsseln hantierte. Das Schloß verursachte einen Heidenspektakel. Es hatte mächtigen Öldurst. Ich ging jetzt ebenfalls nach oben, beugte mich nach innen über das Geländer und sah hinauf. Schwaches Tageslicht fiel aus irgendeiner Öffnung, Marke Schießscharte, oder aus einem Oberlicht.

„He, ist jemand oben?" rief ich im Weitergehen.

„Was ist los?" fragte der Jemand nach kurzem Zögern.

„Ich such einen..."

„Bin keine Concierge."

Noch bevor der unfreundliche Kerl die Tür zu seiner Wohnung schließen konnte, war ich bei ihm und stellte meinen Fuß in den Spalt.

„Sie können mir bestimmt besser helfen als die Concierge", sagte ich lächelnd. „Hier gibt's anscheinend sowieso keine, hab ich das Gefühl. Ich suche einen Bernard Lebailly."

Er musterte mich feindselig durch den Türspalt.

„Hm. Und?"

„Und? Nichts und..."

Im Stockwerk über uns schnauzte eine Mutter ihr Gör an. Das Kind war ganz die Mutter und schnauzte noch lauter zurück. Daraufhin fing ein Radio an zu plärren. Wollte wohl das letzte Wort haben.

„... Nichts", wiederholte ich. „Sie sind doch Lebailly, stimmt's?"

„Und?"

„Oh! Leg 'ne andere Platte auf, Alter, So kommen wir nicht weiter. Laß mich rein. Wär für uns alle besser. Bei diesem Krach hier im Flur kann man nicht in Ruhe reden."

„Hm. Na gut... kommen Sie rein." Er gab die Tür frei. „Drei

Minuten, mein Lieber. Mehr nicht. Weiß der Teufel, warum ich Sie nicht rausschmeiße."

Ich stand direkt im Zimmer. Einen Korridor gab es nicht. Das weitgeöffnete Fenster ging auf den Innenhof. Hinten verbarg ein Vorhang, der bei der letzten Wäsche eingelaufen war, nur schlecht eine saubere Kochnische.

Kein Laut drang vom Innenhof herauf. Fünftagewoche in der Kunsttischlerei. Oben hörte man nur noch ganz schwach den Schreihals, dem vor Wut die Luft wegblieb. Kein Radio. Diese alten Häuser haben dicke Wände und Decken.

Ich schloß hinter mir die Tür. Lebailly beobachtete mich aus den Augenwinkeln. Ich schenkte ihm mein gewinnendes Lächeln.

„Nur drei Minuten, und der Teufel weiß warum? Den Spruch kenne ich. Hab ihn im Kino gehört oder in einem Kriminalroman gelesen. So schnauzt der Gangsterboß den ungebetenen Besucher an. Meistens im zweiten Kapitel, nie später."

„Ich les 'ne Menge von dem Zeug", gab er achselzuckend zu. „Da bleibt was hängen. Bin nicht lange zur Schule gegangen. Schnapp überall was auf, zum Unterhalten..."

„Ich mach dir doch gar keinen Vorwurf..."

Das Zimmer war zwar alles andere als luxuriös, aber hübsch eingerichtet. Man konnte deutlich merken, daß eine Frau im Hause war. Auf einer Leine am Fenster trocknete ein Slip mit Spitzen. Wahrscheinlich trug Lebailly so was nicht. Über dem Bett lag eine gewürfelte Decke. Auf dem Tisch stapelten sich Zeitungen. Ein Querschnitt durch alle politischen Meinungen. Daneben eine gesprungene Vase mit einem billigen Strauß Feldblumen.

„... Ich mach dir keinen Vorwurf", nahm ich den Faden wieder auf, „aber wenn du schlechtverdaute Worte von Romanfiguren widerkäuen willst, können wir gleich als Dialogschreiber zum Film gehen."

Er schüttelte den Kopf.

„'tschuldigung. Ich kapier nichts."

„Macht nichts. Bin gekommen, um dir einiges klarzumachen.

Fragst du mich gar nicht, wer ich bin? Wär ein guter Einstieg."
Er lachte:
„Nicht nötig. Bul... äh... Inspektor, hm?"
„Sag ruhig Flic oder Bulle. Die Namen sind bekannt."
„Also wirklich! Kasperltheater gibt's etwas weiter. Im Luxembourg. Sie könnten 'ne Sondervorstellung geben. Verdammt nochmal! So einen hab ich auch noch nie gesehen, so'n Flic."
„Bin ja auch kein richtiger."
Er sah mich mit seinen großen blauen Augen erstaunt an.
„Ach nein? Und was sind Sie dann?"
„Privatdetektiv. Du siehst, brauchst dich nicht umzustellen."
„Name?"
„Philip Marlowe, Hercule Poirot oder Nestor Burma. Kannst dir was aussuchen."
„Hau bloß ab", fauchte er jetzt. „Die drei Minuten sind um. Hab aber auch ein Glück! Erst löchern mich die richtigen Flics. Jetzt mischen sich noch die Privaten ein... Du kannst verduften, mein Lieber."
„Ohne meine Fragen zu stellen?"
„Hab dir sowieso schon zuviele Antworten gegeben. Hab die Schnauze voll."
„Und vom Geld, hast du davon auch die Schnauze voll? Du bist ohne Arbeit, Lebailly, vergiß das nicht! Etwas Kleingeld kann man immer gut gebrauchen."
Er sah mich von der Seite an.
„Klar, da halt ich wohl die Hand auf..."
Er angelte eine Gitane aus einem Päckchen, zündete sie an.
„... Was muß ich liefern, damit du was reinlegst?"
„Antworten. Und da du schon 'ne Menge gegeben hast, bist du's ja gewöhnt. Wird dir nicht zu schwer fallen... Darf ich mich setzen?"
Ich zog einen Stuhl zu mir ran. Das Buch, das auf dem Sitz gelegen hatte, fiel auf den Boden. Ich hob es auf. *Der Kopf eines Mannes*, von Georges Simenon. Ich legte es auf den Tisch und setzte mich.
„Du hattest also Dienst im Diderot-Hôtel, als der Schwarze

umgelegt wurde, neulich nachts ..."

Er hob die Hand.

„Moment, Alter", unterbrach er mich. „Bevor du weitermachst, möcht ich trotzdem erst wissen, mit wem ich's zu tun habe ..."

Der Zigarettenrauch kam im Rhythmus der Worte aus seinem Mund.

„... Privatschnüffler oder nicht, beweis mir das erst mal."

Ich hielt ihm meinen Ausweis unter die Nase, der mir erlaubte, jedem bis zu einem gewissen Grad auf den Wecker zu fallen. Lebailly schien zufrieden.

„Nestor Burma", las er laut. „Privatdetektiv. Na schön."

Er setzte sich aufs Bett. Zwischen uns stand der Tisch mit den Zeitungen, dem Blumenstrauß und dem *Maigret*. Ich startete den zweiten Versuch.

„Also, du hattest Dienst. Du hast einen Verdächtigen rein- und rausgehen sehen."

Ich machte eine Pause.

Er zuckte nicht mit der Wimper. Nahm seine Kippe und warf sie aus dem Fenster, treffsicher und gekonnt. Genau zwischen Fensterbank und Slip. Keine Spur von Erregung. Nur daß er seinen Glimmstengel in Rekordzeit aufgeraucht hatte.

„Wieviel ist dir das wert?"

Sanft, ruhig, friedlich, kaum interessiert. Er sprach schleppend, so als schlurfte er in ausgetretenen Latschen durchs Zimmer.

„Hängt davon ab", gab ich zurück. „Solange ich nichts gehört habe, nichts überprüft, kann ich keine Summe festlegen."

„Schade", seufzte er. „Kann dich also nicht bluffen, hm?"

Er sah mich verschlagen an, amüsiert, auch etwas spöttisch. Noch ein Seufzer.

„Nein, heute ist nicht mein Tag. Da kommt jemand und bringt mir Geld, aber ich komm nicht ran. Hab nämlich nichts gesehen, mein Lieber. Nix. Gar nix. Zu blöd aber auch. Und deswegen hab ich meinen Job verloren!"

„Du hast nichts gesehen, ich weiß. Hast gepennt."

„Ganz genau!"
„Hast gepennt, weil du leicht blau warst."
„Du weißt aber gut Bescheid!"
„Besser als du denkst. Und leicht blau warst du, weil du getrunken hattest. Klar, bei der Hitze..."
Er merkte, daß ich ihm die Geschichte nicht abnahm.
„War's etwa nicht heiß, in der Nacht, hm?" fragte er.
„Doch, heiß war's. Aber du hast weder getrunken noch gepennt. Weil du nämlich weder einer bist, der trinkt, noch einer, der einfach so einschläft. Hat man mir gesagt. Und ich muß feststellen, man hatte recht."
„Das ist doch Quatsch, Alter", sagte er sanft. „Man kann doch nie wissen, ob einer tatsächlich solide ist oder nur so tut..."
Da hatte er natürlich auch recht.
„Tja. Noch weitere Fragen? Du weißt, ich stehe zur Verfügung. Genauso wie bei Kommissar Faroux und seinen Leuten. Für mich Jacke wie Hose. Damit mußt du zufrieden sein. Sollte mir noch was einfallen... aber was sollte mir schon einfallen?... dann werd ich nicht ausgerechnet zu dir gehen, sondern zu den Flics... Jawohl, zu den Flics..."
Er lächelte versonnen. Sah plötzlich so aus, als spielte er eine Rolle. Fehlte nur noch der Beifall. Er war mit seinem Auftritt zufrieden, ganz glücklich, mich verarscht zu haben.
„Das da ist auch Quatsch", sagte ich und klopfte mit den Stierhörnern meiner Pfeife auf das Buch von Simenon. „Man darf die Art Lektüre nicht übertreiben. Nicht daß das schädlicher wär als die *Vermischten Nachrichten* in den Zeitungen. Solche Kritik überlaß ich den Moralaposteln, die die Freudenhäuser schließen wollen. Aber *der Reiz des Schreckens berauscht nur die Starken*, wie Baudelaire sagt. Und weil du ziemlich blöd bist, könnte dir das zu Kopfe steigen, und dann machst du Dummheiten. Siehst zwar so aus wie Jean-Louis Barrault, aber dir fehlt sicher das entsprechende Talent."
Er runzelte die Stirn.
„Jetzt reicht's, Alter", lachte er. „Mal davon abgesehen, daß ich blöd sein soll: ich kapier gar nicht, worauf du anspielst."

„Ist auch nicht so wichtig. Achte nicht drauf. Ich erzähl so was nur von Zeit zu Zeit, um in Form zu bleiben. Nur für den Hausgebrauch. Hör nicht hin, sag ich dir. Paß lieber auf andere Sachen auf. Zum Beispiel, nicht den Raffinierten zu spielen."

„Großer Gott! Bin ich doch gar nicht", murmelte er vor sich hin. „Überhaupt nicht."

„Nur ein armer Arbeitsloser", lachte ich, „unterernährt und hoffnungslos."

„Genauso ist es. Mach dich nur lustig über mich!"

Nichts zu machen. Konnte genauso gut verschwinden. Vielleicht hatte ich ein anderes Mal mehr Glück. Ich stand auf.

„War nett, dich kennengelernt zu haben, Lebailly Bernard. Blödmänner wie dich trifft man nicht alle Tage."

„Hau endlich ab", knurrte er. „Du mit deinem Blabla."

Ich zeigte auf die Zeitungen.

„Interessiert dich wohl trotzdem, das Verbrechen, hm?"

„Klar! Deswegen sitz ich doch jetzt auf dem Trocknen. Warum sollte ich mich nicht dafür interessieren? So krieg ich wenigstens die Zeit rum. Hab jetzt genug davon."

„Ja. Siehst so aus, als kämst du verdammt gut damit zurecht. Reißt dir kein Bein aus, um 'ne neue Stelle zu kriegen, hm?"

„Das ist meine Sache, Alter. Ich darf wohl noch 'ne Weile Pause machen, oder? Wir leben in einer Republik."

„Keine Politik, bitte. Aber sag mal, warum bist du aus der Rue du Pont-de-Lodi ausgezogen?"

„Bin ich das?"

„Ich dachte, wir sind hier in der Rue des Quatre-Vents."

Er lächelte.

„Also, du mußt immer was Schlechtes denken ... Schlimmer geht's nicht. Aber ich will mal nicht so sein. Werd's dir erklären. Sonst raubt dir das noch womöglich den Schlaf! Stell dir vor: ich schlaf mit einem Mädchen ... das ist doch erlaubt, oder? Hast du auch nichts dagegen?"

„Weiter!"

„Ich schlaf also mit einem Mädchen, dem diese Wohnung hier gehört. Wir schlafen zwar schon 'ne Weile zusammen, aber gelebt haben wir bisher nicht zusammen. Jetzt tun wir's. Nur hab ich meine Bude in der Rue de Pont-de-Lodi noch nicht aufgegeben, weil... man kann nie wissen. Vielleicht brauch ich sie noch. Könnte sie inzwischen weitervermieten. Na ja, 'n Haufen Zeugs, was?"

„Ja, ja. Du hast deine Wohnung behalten, wohnst aber nicht mehr da."

„Richtig. Weil ich nämlich jetzt hier wohne."

„Raffiniert."

„Möchte wissen, was daran raffiniert ist."

„Im Ernst? Aber, alter Freund! Du verziehst dich aus der Rue du Pont-de-Lodi, ohne dich zu verziehen, und ziehst dich damit prima aus der Affäre. Wenn dich jetzt die Flics wieder vornehmen wollen, werden sie dich nicht finden. Wenigstens nicht sofort. In der Zwischenzeit kannst du dir was einfallen lassen, falls nötig. Und wenn sie dich dann finden, kannst du immer noch den Naiven spielen. ‚Ich hab mich doch nicht versteckt', wirst du sagen."

Er explodierte:

„Aber ich versteck mich auch nicht, verdammt nochmal! Du bist noch verrückter, als ich dachte. Ich versteck mich ganz und gar nicht."

„Das meinte ich ja! Du versteckst dich nicht, und versteckst dich doch. Hast bestimmt was zu verstecken."

Er seufzte:

„Hör mal, hau ab! Wär besser."

„Wiedersehn. Bis bald."

„Bis bald? Wieso?"

„Ich laß nicht locker. Irgendwann wirst du müde."

Er zuckte die Achseln, offensichtlich erschöpft.

„Hast mich schon müde genug gemacht."

Er öffnete die Tür. Ich ging hinaus. Er warf die Tür hinter mir zu.

Ich war inzwischen auch müde. Hoffentlich hatte ich ihm wenigstens Angst gemacht... falls er Gründe hatte, Angst zu kriegen. Vielleicht färbte das Viertel auf ihn ab. Vielleicht spiegelte sich auf seinem Gesicht seine Lektüre wider, oder er spielte sich selbst was vor, völlig ohne Risiko. Jedenfalls hatte ich nichts rausgekriegt. Nächstes Mal würde ich mehr Glück haben... wenn es überhaupt ein nächstes Mal gab und ich den Fall noch in der Hand hatte. Das würde sich ja nächsten Montag zeigen. Im Moment verspürte ich ein dringendes Bedürfnis nach Schatten, Ruhe und Grün.

Freunde von mir hatten das alles zu bieten. Sie besaßen ein Landhaus an einem Flußufer. Sie luden Hélène und mich fürs Wochenende ein. Sympathische Leute, angenehm im Umgang. Eine gelungene Abwechslung zu den Hornochsen, mit denen ich beruflich zu tun habe. Erst Montag gegen Mittag kamen wir wieder zurück nach Paris.

6.
Traurige Augen wie ein Witwer

Zu Hause warteten zwei ausgewachsene, hübsch anzusehene Rechnungen auf mich. Lagen wohl schon seit Samstag im Briefkasten auf der Lauer. Über Sonntag waren sie dann noch dicker geworden. Rechnungen können so hinterhältig sein! Eine war zartrosa wie ein heißgeliebter Lippenstift, die andre zartbleu wie ein Frühlingskleid. Beide unwiderstehlich. Die Gläubiger lassen sich 'ne Menge einfallen, nur damit wir schwach werden.

Ich legte die Rechnungen auf die Schreibunterlage, weit auseinander, daß sie sich nicht noch vermehren konnten. Und schon wieder läutete das Telefon.

„Hier Nestor Burma", meldete ich mich.

„Endlich..."

Monsieur Grandier.

„Versuch schon seit Samstag, Sie zu erreichen."

„*Weekend*", bemerkte ich knapp. „Gibt's was Neues?"

„Darüber wollte ich mit Ihnen reden."

„Gerne. Wann?"

„Wenn Sie mal 'n Augenblick Zeit haben."

Hörte sich nicht mehr sehr eilig an.

‚Je eher, desto besser', meinten die Rechnungen.

„Je eher, desto besser", sagte ich.

„Ja, finde ich auch. Besser, man erledigt alles sofort."

„Eben. Sind Sie zu Hause?"

„Ja."

„Ich komme sofort."

* * *

„Roland Gilles hat mich angerufen", informierte mich der Versicherungsmensch, nachdem wir uns begrüßt hatten.

In große Begeisterung schien ihn das nicht zu versetzen.

„Und? Hat er Mac Gee nun umgebracht oder nicht?" fragte ich.

„Hat er mir nicht verraten. Er drückte sich sehr vorsichtig aus, wie nicht anders zu erwarten. Aber ich glaube, auch mit weniger Vorsicht würde er sich vor einem solchen Geständnis hüten, meinen Sie nicht auch?"

„Sicher. Und weiter?"

„Wir müssen uns wohl noch eine Weile gedulden. Nur ein unvorhergesehener Zwischenfall. Es ist noch nichts verloren. Er hat mir versprochen, sich bald wieder zu melden ... Was halten Sie davon, Burma?"

„Da er nicht mit dem Schmuckkästchen unterm Arm zu Ihnen gekommen ist, ist sein Telefonanruf keinen Pfifferling wert. Er tappt genauso im dunkeln wie wir. Aber er will natürlich nicht aufgeben. Klammert sich an irgendeine Hoffnung."

„Das hab ich mir seit Samstag auch tausendmal gesagt", seufzte Monsieur Grandier. „Und nun? Sie haben doch gesehen, wie weit die Polizei mit ihren Ermittlungen ist. Am toten Punkt. Darauf kann ich wohl nicht zählen. Und was Sie betrifft ..."

Er schwieg. Sah müde aus. Ich ermunterte ihn mit einem kleinen „Ja?", fragend, verführerisch, hinterhältig. Er hob nur resigniert die Schultern, mehr nicht.

„Soll ich mich wieder auf die Jagd machen?"

Achselzucken.

„Sie sagen doch selbst, daß Sie nicht weiterwissen. Und neulich ..."

„Seit neulich hab ich was rausgekriegt", bemerkte ich so nebenbei.

Er fuhr hoch.

„Warum haben Sie das nicht gleich gesagt, verdammt nochmal? Was denn?"

„Eine winzige Spur. Nichts Sensationelles. Hab so was wie 'n Zeugen ausfindig gemacht. Ob richtig oder falsch, das muß sich noch rausstellen. Abwarten, welche Blüten er trägt... natürlich muß man ihn entsprechend begießen."

Ich erzählte ihm von Bernard Lebailly.

„Bearbeiten Sie ihn", rief Grandier, nachdem er mir aufmerksam zugehört hatte. „Begießen Sie das Pflänzchen. Ersäufen sie es, wenn's sein muß. Aber holen Sie raus, was rauszuholen ist! Wieviel brauchen Sie?"

Ich nannte eine Summe. Ohne weitere Verhandlung gab er mir das geruchlose Schmiergeld, mit dem sich keiner gerne die Finger schmutzig machen will. Nach dieser Beruhigungsspritze ging ich in die Rue des Quatre-Vents. Mal sehen, ob für Versicherungsgesellschaften und die Vereinigung Dynamischer Detektive ein günstiger Wind blies.

* * *

Aus dem Haus, wo zur Zeit Bernard Lebailly wohnte, sah ich einen Kerl kommen, der mir durch sein düsteres Aussehen auffiel. So ein Gesicht haben sonst nur Steuereintreiber. Oder die Leute in Bagneux, neben Leichenwagen und Zypressen.

Er war ein Mann im besten Alter, mittelgroß, mittelschlank, unauffällig gekleidet, neutraler Anzug von der Stange. Ohne seinen giftigen Gesichtsausdruck hätte ich ihn gar nicht bemerkt. Vielleicht war er im täglichen Leben tatsächlich so unauffällig. Aber ich besitze nun mal einen Riecher, der „die Dinge hinter den Dingen" wittert, wie Michel Krauss sagt, der Maler von *Qui des Brumes*. Zuerst dachte ich, er wär blind. Das lag an seinen Augen unter den buschigen Brauen in dem frostigen, ausdruckslosen, abwesenden Gesicht. Leblose Augen, glanzlos, von unsäglicher, gequälter Traurigkeit. Eine innere Trauer, die man ohne Trauerflor und den übrigen Kram spürt. Der Blick eines Witwers. Besser könnte ich den Mann nicht beschreiben. Und für mich will das was heißen. Mir wird immer etwas unbehaglich, wenn ich einen Witwer seh. Bei Witwen ist das anders. Vielleicht hab ich dann immer die berühmte Schwester vor Augen, die lustige, auch wenn die betreffende Frau von Kummer ganz niedergedrückt ist. Aber ein Witwer! Das ist so endgültig, ausweglos, wie mit einem Fluch belegt, so hilflos. Kommt mir immer vor wie eine häßliche Verstümmelung.

Der Mann vor mir blieb am Bordstein stehen, senkte den Kopf und betrachtete eingehend seine schwarzen Schuhspitzen oder die dreckige Brühe im Rinnstein. Vielleicht suchte er auf seine düsteren Gedanken eine Antwort, die er nicht finden konnte. Dann schüttelte er sich und überquerte träge die Fahrbahn. Er war mit seinen Gedanken weit weg von der Rue des Quatre-Vents. Sehr weit weg. Der Teufel wußte, wo. Ich sah ihm hinterher. Andere Passanten schenkten ihm nicht die geringste Aufmerksamkeit. Dann ging er in ein Bistro.

Jetzt schüttelte ich mich auch, nahm die entgegengesetzte Richtung, betrat das Haus. Nach dem Backofen draußen auf der Straße unter der brennenden Junisonne war der feuchte, dunkle Hausflur die reinste Wohltat. Der frische Sägemehlgeruch stieg mir angenehm in die Nase. Durch die offene Tür hinten im Flur sah man den Teil des Hofes, in dem sich die Tischlerei befand. Die Arbeiter pfiffen einen Schlager, gleichgültig allem gegenüber, was nichts mit ihrer Arbeit zu tun hatte. Das seidenweiche Geräusch eines Langhobels, mit dem schwungvoll gearbeitet wurde, wechselte sich ab mit dem Kreischen der Kreissäge.

Ich ließ noch eine alte Frau vorbei, dann ging ich hinauf. An der Tür der neuen Wohnung von Bernard Lebailly hing jetzt ein Pappschild mit dem Namen des arbeitslosen Nachtportiers. Eine ungelenke Handschrift. Am Samstag hatte das noch nicht dort gehangen. Er erwartete wohl Besuch. Folglich war der Vogel nicht ausgeflogen. Ich stellte mir vor, daß er sich auf dem Bett lümmelte, Zigarette im Mund, alle viere von sich gestreckt, vor der Nase einen Simenon oder einen Boileau-Narcejac. Aber ich bin auch nicht allwissend. Die Tür hätte ruhig fester geschlossen sein können. Als ich leicht klopfte, sprang sie auf. Niemand reagierte auf mein Eindringen mit entsprechendem Gefluche oder einem gepfefferten Rausschmiß. Also betrat ich das hübsche, saubere Zimmer.

Auf der Wäscheleine vor dem Fenster trockneten ein Herrenhemd und ein Damenslip, andersfarbig als der von Samstag. Das Fenster war fest verschlossen. So waren die Geräusche aus der Tischlerwerkstatt nur noch gedämpft zu hören. Dafür war die Luft ziemlich dick, was gar nicht so vorteilhaft war. Kam mir vor wie in einer Bratpfanne. In meinen Handflächen sammelte sich schmutzig-feuchter Schweiß, von meinen Schläfen tropfte es.

Plötzlich fuhr ich hoch. Nach einer kurzen Ruhepause hatte die Kreissäge ihre Arbeit wieder aufgenommen, ohne Vorwarnung. Zuerst, als sie in Gang gesetzt wurde, zirpte sie; dann, als die Stahlzähne sich in das vorgesetzte Brett fraßen, kreischte sie gefräßig. Zwischendurch änderte sie nochmal die Tonlage. Zum Schluß wurde das Kreischen schneller, wie bei einem Liebesakt, endete dann in einem Schrei des Triumphes, bevor das ausgelieferte Brett, in zwei saubere Teile geschnitten, losgelassen wurde. Ich sah die Bretter vor mir: wie sie unter die Säge gelegt und von den erfahrenen Händen eines Tischlers geführt wurden. Helle Bretter, zugeschnitten, poliert, angenehm zu berühren, umgeben von gut duftendem Sägemehl. Bretter von spezieller Form, wenn möglich länglich. Man hätte nicht bis ans Ende der Welt laufen müssen, um einen Sarg zu bestellen. Einen Sarg für Bernard Lebailly. Unten hätte man ihm sicher einen Freundschaftspreis gemacht.

Der Heilige Antonius von Padua, dessen Fest heute gefeiert wurde, läßt Nestor Burma immer die Leichen finden, die er so nötig hat wie Sauerstoff. Verdammt nochmal, lieber Antonius! Entschuldige, aber auch auf diese hier hätte ich gut verzichten können.

Bernard Lebailly lag zwischen Tisch und Bett. Heiß oder kalt, egal, jedenfalls mausetot. An seinem Nacken übte eine Fliege summend Tiefflug. Er lag auf dem Bauch. Hatte eine gnadenlose Kugel verpaßt gekriegt, irgendwohin in seine lebenswichtigen Teile. Und als Zugabe eins mit einem harten, stumpfen Gegenstand auf die Rübe. Einen wütenden Schlag, haßerfüllt, rasend.

Also hatte Bernard Lebailly in der fraglichen Nacht doch nicht geschlafen. Hier lag der Beweis. „Lebend“ konnte man dazu nicht mehr sagen. Hätte er doch damals geschlafen! Dann würde er jetzt nicht für immer schlafen. Den Schlauberger zu spielen, war ihm gar nicht gut bekommen. Aber irgendein Oberschlauberger muß irgendwann immer dran glauben.

Die Kreissäge fraß sich immer noch durchs Holz. „Hau ab, Burma! Hau ab, Burma!“, rief sie mir zu. Reimte sich fast. Besser wär's, ihren Rat zu befolgen. Was hast du hier im Viertel zu suchen? Was hast du mit Lebaillys Leiche zu schaffen? Der arme Blödmann hatte sich sein eigenes Grab geschaufelt und war auch noch selbst reingesprungen. Hau ab, Burma! Hau ab!

Ich folgte dem Rat.

Bevor ich gekommen war, hatte man in aller Eile versucht, die Wohnungstür abzuschließen, allerdings ohne sich zu vergewissern, ob das Schloß zugeschnappt war. Ich konnte jetzt meine Zeit auch nicht damit vertrödeln, das Schloß in Ordnung zu bringen. Eintritt frei! Besser noch: Eintritt erwünscht! Sollte doch jeder sehen, was mit zu raffinierten Hotelportiers passiert... oder mit zu wenig raffinierten, darüber war ich mir noch nicht ganz klar. Niemand in Sicht? Also nichts wie weg! Ich nahm die ersten drei Stufen auf einmal... und sprang wieder zurück.

Jemand kam die Treppe rauf, leise wie ein Gespenst. Aber auch das Gewicht eines Gespenstes ließ die Stufen aufstöhnen. Besser, ich würde nicht hier in der Etage gesehen werden, egal von wem. Lautlos flüchtete ich mich in die obere Etage. Hinter einer Tür keifte eine Frau und bedrohte ihren Nachwuchs mit dem Klopfer. Die liebe gute Mama von Samstag! Als sie ihren Dressurakt beendet hatte, horchte ich nach unten. Kein Laut. Das Treppenhaus war leer. Kein Zweifel: der Neue, dem ich beinahe begegnet wär, war zu Lebailly gegangen. Ich wollte wissen, wer das war. Konnte nicht schaden. Ich lehnte mich über das Geländer. Leise quietschte die Tür in den Angeln. Dann wurde sie zugeschlagen. Ein Mann ging die Treppe runter, anscheinend auf Nimmerwiedersehn. Sein Gesicht konnte ich nicht erkennen, aber seine Haltung war unverändert. Immer noch in Trauer, wie ein Witwer...

Ich ließ ihm genügend Vorsprung und rannte dann hinter ihm

her. Die Tür der verhängnisvollen Wohnung ließ jetzt nicht mehr viel Licht rein. Das Namensschild war verschwunden.

Im Treppenhaus begegnete ich keiner Menschenseele. Auf der Straße sah ich die traurige Gestalt meines seltsamen Witwers. Er ging in Richtung Carrefour de l'Odéon. Vor zwei Tagen hatte ich den gefeuerten Portier beschattet. Heute folgte ich mühelos seinem mysteriösen Besucher. Er ging um Dantons Statue herum, überquerte den Boulevard Saint-Germain und bog dann in die Rue Danton ein. Ein Ordnungshüter außer Dienst kam ihm entgegen. Ob er den wohl ansprechen würde? Nichts dergleichen. Offensichtlich hatte er keinerlei Absicht, auf eine Polizeiwache zu gehen. Jetzt erreichte er die Place Saint-Michel, ging auf die Brücke. Mit einer schnellen Bewegung warf er ein Papierknäuel in die Seine, ging weiter.

Ich blieb wie angewurzelt stehen. Die traurige Gestalt war in den Quai des Orfèvres eingebogen. Nach einer fälligen Schrecksekunde nahm ich die Verfolgung wieder auf, legte einen Schritt zu, um ihn nicht aus den Augen zu verlieren. Ich sah gerade noch, wie er unter dem Torbogen der Nummer 36 verschwand.

Langsam kehrte ich um, wie ein Schlafwandler. Auf der Seinebrücke lehnte ich mich über die Brüstung und betrachtete pfeiferauchend das Wasser. Er wandte sich lieber gleich an den Lieben Gott! Das einfache Revier des Viertels war gut genug für das Alltägliche. Er dagegen wollte seinen Fund gleich der Tour Pointue melden. Gleich würde ein Wagen, vollgestopft mit Flics in Uniform, aus dem unfreundlichen Gebäudekomplex kommen und mit viel Getöse zur Rue des Quatre-Vents rasen und... Von wegen? Zur Rue des Quatre-Vents? Denkste! Schon im Dezember fällt es mir schwer, an den Weihnachtsmann zu glauben. Aber im Juni...

...Die Seine führte trübes Wasser...

„Wollen Sie einschlafen oder springen?" dröhnte eine rauhe Stimme mir ins Ohr.

Ich schüttelte mich und richtete meinen Schlafzimmerblick auf einen Flic. Es dämmerte. Auch bei mir. Ich stand schon eine Ewigkeit hier.

„Ich glaub, so ist es“, sagte ich.

Ich lächelte ihn an, so blöde wie möglich. Unglücklich.

„Was?“

„Weiß ich noch nicht... Ein Glück, daß meine Pfeife nicht in die Brühe gefallen ist, hm?“

Ich steckte sie ein.

„Bleiben Sie nicht hier stehn“, riet mir der Flic gutmütig. „Die Hitze tut Ihnen nicht gut.“

Ich schlenderte zum Quai des Grands-Augustins. Fühlte mich zerschlagen, dreckig wie ein Schwein, im Mund noch ranzigen Schweißgeschmack. Am Café de l’Écluse starrte ich den Taucheranzug an, der im Schaukasten von Léo Noëls Cabaret Wache stand. Nicht nur so einen Taucheranzug hätte ich gebraucht, um in dieser widerlichen Brühe weiter rumzupatschen. Eine eiserne Rüstung wäre auch nicht schlecht gewesen. Das Abenteuer nahm seltsame Wendungen. Ich lief Gefahr, meine Knochen dabei hinzuhalten. Die Knochen eines Durchschnittsbürgers mit wechselhaftem Einkommen ohne garantiertes Existenzminimum. Sicher, was ich so langsam durchschaute, gab der Mahlzeit die richtige Würze. Aber zu stark gewürzt verdirbt den Geschmack. Sachte, Nestor!

7.
Bombensplitter

Ich ging nach Hause.

Im Laufe des Abends rief mich Jérôme Grandier an:

„Was Neues?"

„Hab den Zeugen nicht gesehen", berichtete ich. „Bei dem schönen Wetter... Kein Wunder, daß er nicht in seiner Bude war."

„Natürlich."

Monsieur Grandier war Optimist. Daran konnte diese Verzögerung nichts ändern.

„Morgen haben Sie bestimmt mehr Glück", tröstete er mich mit rührender Überzeugung.

Ein Optimist, wie ich schon sagte.

Benommen ging ich zu Bett.

* * *

Am nächsten Tag berichteten die Zeitungen von dem Mord an Bernard Lebailly. Wenn der Tote nicht bei Lucienne Sureau gewohnt hätte, wär er vielleicht noch gar nicht entdeckt worden. Als die Frau nämlich spätabends von der Arbeit nach Hause gekommen war, war sie über die Leiche ihres Freundes gestolpert und... usw. usw. Natürlich hatte Kommissar Faroux den Fall in die Hand genommen, klar. Ihm standen Dromat, Lécuyer und Alibert zur Seite. Über diese Inspektoren und ihre Verdienste war noch nie soviel berichtet worden. Ich hatte das Gefühl, daß der Presse nichts Besseres einfiel. Von dem Opfer hieß es nur, daß er ein ehemaliger Angestellter des Diderot-Hôtel war. Mehr nicht. Diskret wie immer.

Ich hätte liebend gerne einen Tausender rausgerückt, um einen

Beruhigungsspaziergang durch die Räume der Kripo zu machen. Aber mir fiel einfach kein Vorwand ein. Und selbst mit Vorwand hätte ich mich nicht in die Höhle des Löwen begeben. Florimond Faroux hört immer sofort die Flöhe husten. Im Augenblick legte ich keinen gesteigerten Wert darauf, seine Aufmerksamkeit auf meine Wenigkeit zu lenken. Ganz und gar nicht. Bisher hatte niemand davon erfahren, daß ich für die Internationale Versicherungsgesellschaft arbeitete. Jetzt war es weniger denn je angebracht, damit rauszurücken und irgendeinen Verdacht aufkommen zu lassen.

Natürlich beehrte mich Monsieur Grandier wieder mit einem Telefonanruf. Seinem Optimismus war ein schwerer Schlag versetzt worden. Seine wütende Stimme ließ die Membrane vibrieren.

„Haben Sie die Zeitungen gelesen?“ bellte er.

Neulich hatte ich ihm dieselbe Frage gestellt. Jetzt gab er sie mir zurück.

„Ja.“

„Und? Ist das ’ne besondere Begabung von Ihnen oder was? Immer zu spät, und immer wenn ...“

„Diesmal war ich’s aber nicht, der die Leiche entdeckt hat.“

„Ihr Glück. Ich könnte sonst noch auf krumme Gedanken kommen. Was gedenken Sie zu tun?“

„Hab schon so zwei oder drei Ideen“, log ich. „Muß sie erstmal sortieren.“

Schlecht ausgedrückt, Nestor! Erinnerte an einen Finanzbeamten.

„Noch ist nichts verloren“, fügte ich aufmunternd hinzu.

„Hoffentlich. Natürlich ...“

Er lachte.

„... Haben Sie noch keine Idee, wer der Täter sein könnte?“

Ich schenkte mir die Antwort. Sie hätte ihm die Sprache verschlagen.

„Hallo?“ brüllte er. „Sind Sie eingeschlafen?“

„Dafür ist jetzt nicht der richtige Augenblick. Und Sie?“

„Ich? Wieso ich? Ich kann überhaupt gar nicht mehr schlafen.“

„Vielleicht weil Sie besser Bescheid wissen als ich?"

„Was wollen Sie damit sagen, Burma?"

„Ach, nichts. Gar nichts. Ich red Quatsch. Die Nerven..."

Mit ein paar tröstlichen Worten schaffte ich mir Grandier vom Hals. Dann ging ich zu Hélène in die Agentur Fiat Lux, Rue des Petits-Champs. Hübsch wie immer, saß sie vor ihrer Schreibmaschine. Als einzige von meinen Mitarbeitern war sie eingeweiht. Ich erzählte die neuesten Neuigkeiten. Ich war ziemlich niedergeschlagen und mußte mich jemandem anvertrauen.

„... Traurige Augen, sah aus wie ein Witwer", sagte ich. „Sogar bei diesen Temperaturen wirkt er wie ein Eisblock. Er hat Bernard Lebailly umgebracht. Hatte 'ne Verabredung mit ihm. Ging weg, kam wieder... bestimmt um seine Fingerabdrücke abzuwischen... oder hatte was vergessen. Jedenfalls hat er Lebaillys Namensschild entfernt..."

„Wie ein Witwer?" fragte Hélène und schüttelte ihre kastanienbraune Haarmähne. „Das ist doch kein Beruf", bemerkte sie lächelnd.

„Von Beruf ist er Polyp."

„Was?"

Ich legte meine Hand auf ihren Arm.

„Vergessen Sie das, Chérie. Beinahe hätt ich mich ganz schön in die Nesseln gesetzt. Werd mich schnell abseilen. Und ich möchte nicht, daß Sie Ihre hübsche Nase da reinstecken."

„Ein Polizist", wiederholte sie. „Also wirklich..."

„Das sind keine Chorknaben. Das hat schon Georges Clemenceau vor mir festgestellt. Aber ich bin auch kein Chorknabe. Werd in diesem Scheißspiel nicht länger den Blödmann spielen..."

„Was werden Sie tun?"

„Nichts. Wenn ich nämlich Grandier sage, daß ich den Fall sausen lasse, passiert immer irgendetwas. Und dann mach ich weiter. Diesmal sag ich nichts, höre aber tatsächlich auf. Wenn er anruft, sagen Sie nur immer: Nichts Neues. Irgendwann wird er's leid."

* * *

So richtig ließ ich den Fall aber doch nicht sausen. Die nächsten drei Tage versuchte ich, mehr über den Inspektor in Erfahrung zu bringen, den ich bei der merkwürdigen Ausübung seiner Pflichten überrascht hatte. Leider ohne Ergebnis.

* * *

Am Freitag, dem 17. Juni, aß ich mit Hélène in der Rue des Moulins zu Abend. Beim Dessert rief meine Sekretärin plötzlich:

„Ich bin eine miserable Mitarbeiterin. Hab doch glatt vergessen, daß jemand angerufen hat. Heute nachmittag. Er will's im Laufe des Abends nochmal versuchen."

„Jemand? Wer?"

„Hat seinen Namen nicht genannt. Klang aber seriös."

„Mann oder Frau?"

„Mann."

„Gut, gehen wir", schlug ich vor. „Wenn mich jetzt ein Klient nach Marseille schickt, arbeite ich auch für Gotteslohn."

Wir gingen also ins Büro und warteten, plauderten und tranken was Erfrischendes. Für solche Gelegenheiten findet sich irgendwo in meinem Büro immer das Passende. Whisky Soda und Eiswürfel. So vergingen die Stunden wie im Flug. Durch das offene Fenster wehte ein warmer Wind ins Zimmer. Auf der Rue des Petits-Champs herrschte wie immer eine nächtliche Provinzruhe, die nur selten von einem Auto gestört wurde. Ich sah auf die Uhr.

„Halb zwölf", stellte ich fest. „Wir können uns in die Falle hauen. Ihr Anrufer hat nur geblufft. Macht nichts. Der Abend mit Ihnen war sehr nett..."

Das Telefon unterbrach mich.

„Hier Nestor Burma", meldete ich mich.

„Wer?"

Der fand das wohl komisch!

„Nestor Burma", wiederholte ich. „So heiß ich."

„Gutenberg 94-47?"

„Verwählt", sagte ich.

Ein Fäkal-Fluch dröhnte an mein Ohr. Ich legte langsam auf, so als täte es mir leid. Ich sah Hélène an.

„Verwählt", lachte ich. „Von wegen!"

Ich ging zu dem Stuhl, an dem meine Jacke hing, und holte meine Kanone raus.

„Was haben Sie vor?" erkundigte sich Hélène.

„Mich für alle Eventualitäten rüsten. Der Kerl wollte bestimmt nur wissen, ob ich hier bin oder nicht. Gehen Sie, mein Schatz. Ich warte lieber im Dunkeln. Fenster geschlossen, Vorhänge zugezogen."

Sie schüttelte den Kopf.

„Ich bleibe", entschied sie.

„Wie Sie wollen."

Ich schloß das Fenster und knipste das Licht aus. Die Glut von Hélènes Gitane war der einzige Lichtblick.

„Nicht gerade kalt hier", stöhnte meine Sekretärin.

„Dann ziehn Sie sich doch aus", schlug ich vor.

„Reden Sie keinen Unsinn."

* * *

Die Haustür wurde heftig zugeschlagen. Beinahe sofort klingelte es bei mir. Unten auf der Rue des Petits-Champs hörte ich Gerenne.

„Rühren Sie sich nicht von der Stelle, Hélène", flüsterte ich.

Die Knarre in der Hand, stand ich auf und horchte. Irgendwo im Haus öffnete jemand ein Fenster, fluchte wie ein Kutscher und schloß es wieder. Ich schlich mich ins Wartezimmer. Lärm im Treppenhaus. Flüche. Heute nacht wurde kräftig geflucht. Diesmal war's mein direkter Nachbar. Er ging wieder in seine Wohnung, ich wieder zu Hélène.

„Und?" fragte sie.

„Jemand hat unten auf alle Klingeln gedrückt und das ganze Haus wachgemacht. Die Blagen sind um diese Zeit schon im Bett. Also hat sich ein Erwachsener einen Spaß erlaubt."

„Und was soll das?"

„Frag ich mich auch."

„Was nun?"
„Weiter warten."
Wir warteten eine Viertelstunde, dann machte ich wieder Licht.
„Wir können verschwinden, Hélène. Die Vorstellung ist zu Ende. Weiß der Teufel, was das soll."
Ich zog meine Jacke an, steckte die Waffe ein. Hélène öffnete die Tür zum Flur und stieß einen gedämpften Schrei aus.
„Auf der Matte liegt ein Paket", flüsterte sie.
Ich beugte mich über das Paket, berührte es aber nicht.
„Kein Ticken", stellte ich fest. „Also keine Bombe."
„Was kann das sein?"
„Werden wir ja sehn."
Ich trug das Paket ins Büro und legte es auf den Schreibtisch, um es auszuwickeln. Zeitungspapier. Die letzten Ausgaben vom *Parisien* und *France-Soir.* Dann der Karton. Ich öffnete ihn.
Wir sahen ein wahres Feuerwerk im Licht der Deckenlampe. Das jämmerliche Licht der elektrischen Birne! Es wurde in den Schatten gestellt. An die Wand gedrückt vom Gefunkel der tausend Sterne vor uns. Kaum auszuhalten! Bunte Flammen tanzten vor meinen Augen. Das Zimmer schwankte und schlingerte, ein lächerliches Bötchen im Orkan. Nestor Burma als neuer Edmond Dantès, als Captain Carlsen!
„Großer Gott!" keuchte ich. „Und ich sag: keine Bombe! Großer Gott! Hélène! Phantastisch!"
Schweißgebadet vor Aufregung, mit trockener Kehle, torkelte ich zum Telefon. Ich wählte erst eine falsche Nummer, dann die richtige. Es klingelte und klingelte. Nach einer Ewigkeit wurde abgehoben.
„Hallo", brummte mein Gesprächspartner.
„Monsieur Grandier? Hier Burma. Springen Sie aus dem Bett und kommen Sie sofort in mein Büro! Nicht alleine. Bringen Sie Geld mit... und den Experten Ihrer Gesellschaft, falls Sie sich mit Juwelen nicht so genau auskennen. Ich hab die Ware."
„Die Wa..."
„... re. Genau."

Er stieß ein Triumphgeheul aus. Ich legte auf und ließ mich in einen Sessel fallen, lockerte die Krawatte, lächelte Hélène zu, die kaum weniger aufgeregt war als ich.

„Großer Gott, Chérie!"

„Ja", sagte sie. „Großer Lieber Gott. Verdammt noch ..."

„Sie auch, endlich! Ich wußte, eines verdammten Tages würden Sie auch noch anfangen zu fluchen."

„Seien Sie still, anstatt hier rumzufluchen. Fällt Ihnen nichts anderes ein?"

„Ich liebe Sie, mein Schatz."

„Sie sind betrunken. Sie wissen nicht mehr, was Sie sagen."

„Stimmt. Ich rede dummes Zeug. Dabei bin ich gar nicht besoffen. Geben Sie mir mal die Flasche. Ich brauch einen ordentlichen Schluck! Solche Überraschungen müssen begossen werden."

Nach einer Weile wurde ich wieder ruhiger.

„Also gibt es doch einen Gott, hm? Wenigstens für Nestor."

Hélène nickte. Sie hatte sich ein adliges Armband um ihr edles Handgelenk gelegt und bewunderte die funkelnden Steine.

„Ja", sagte sie, „aber der Teufel soll mich holen, wenn ich begreife ..."

„... warum der Liebe Gott sich offenbart hat? Das ist bei der ganzen Geschichte nicht mal das größte Geheimnis. Werd's später knacken. Im Augenblick ... Hundertfünfzig Millionen! Ist Ihnen das klar? Da drin liegen hundertfünfzig Millionen!"

Ich wühlte in dem Schatz. Inzwischen brauchte ich keine Sonnenbrille mehr, um hinzusehen. Hatte mich dran gewöhnt. Man gewöhnt sich an alles. Ich legte die guten Stücke nebeneinander.

„Sehen Sie sich das an, Hélène, ist das nicht hübsch ...?"

Ich zog sie vor einen Spiegel und legte ihr etwas um den Hals. Sah nach nichts aus, warf aber ein fabelhaftes Licht ... besonders auf meine Sekretärin.

„Leider kann ich Ihnen so was Schönes nie schenken ..."

Sie zuckte die Achseln.

„Machen Sie sich da mal keine Sorgen. Wer so aussieht wie ich, kommt ganz gut ohne diesen Klimbim zurecht, oder?"

Sie legte Armband und Kette ab.

„Natürlich", stimmte ich ihr zu, „und ich kann Ihnen auch sagen, was zu Ihrem Aussehen paßt..."

„Was denn?"

„Hauchdünne Strümpfe... Nichts weiter."

Sie wurde rot.

Jérôme Grandier beendete mein charmantes Geplauder. Vor dem Haus quietschten Bremsen. Wagentüren wurden zugeknallt, die Treppe hinaufgestürmt. Ziemlich sportlich, die Herren. Sekunden später läutete es Sturm an der Tür der Agentur Fiat Lux. Ich öffnete. Monsieur Grandier hatte sich nicht mal die Zeit genommen, sein Toupet ordentlich aufzusetzen. Ein Schuh war nicht zugebunden. Zum Teufel mit korrektem Auftreten, Selbstbeherrschung, Etiketten. Hab schon weniger nervöse Kater gesehen.

„Ist ja groß..."

Er mußte erst Luft holen.

„... artig. Wo sind die... die Dinger?"

„Hier."

Sie folgten mir ins Büro, er und ein dünnes Kerlchen mit entsprechendem Kinnbärtchen. Monsieur Octave, der Experte, wie er mir kurz darauf vorgestellt wurde. Ohne von Hélène Notiz zu nehmen, fing Jérôme Grandier sofort an, die Juwelen hin und her zu drehen.

„Das sind sie", stieß er kurzatmig hervor, „ja, das sind sie."

Jetzt erst bemerkte er meine Sekretärin.

„Oh... Guten Abend, Mademoiselle..."

Sofort beugte er sich wieder über die anderen wertvollen Stücke, ließ sie aber jetzt in Ruhe. Dafür malträtierte er seine Brille, nahm sie ab, setzte sie wieder auf die Nase... ein ständiges Auf und Ab.

„Hoffentlich ist das der echte Schmuck... und nicht der falsche..."

Mir lief ein kalter Schauer über den Rücken. Diese Möglichkeit war mir noch nicht in den Sinn gekommen.

„Monsieur Octave, bitte!" befahl der Versicherungschef.

Der Experte, stocksteif und frostig wie tiefgekühltes Rindfleisch, tauchte sein Ziegenbärtchen in den funkelnden Krimskrams und unterzog ihn einer genauesten Prüfung. Dann richtete er sich wieder auf und hüstelte.

„Der Schmuck ist echt", entschied er.

Ich seufzte erleichtert auf. Monsieur Grandier wischte sich den Schweiß von der Stirn.

„Das ist ganz großartig!" rief er. „Mein lieber Bruma, Sie glauben gar nicht, wie dankbar ich Ihnen bin. Und ich hab geglaubt, Sie wollten den Auftrag zurückgeben... hab schon an Ihren Fähigkeiten gezweifelt. Erzählen Sie, bitte, erzählen sie mir alles. Wie aufregend!"

Er drehte sich um sich selbst, ließ sich dann in einen Sessel fallen.

„Tut mir leid", sagte ich, „aber da gibt's nichts zu erzählen."

„Berufsgeheimnis?"

„Wenn Sie so wollen. Eine gefährliche Angelegenheit. Eine Drecksarbeit. Wenn die Flics rauskriegen, daß ich meine Finger da drin hab, werden sie mir das Leben schwer machen..."

„Das haben Sie mir schon mal gesagt."

„Ich sag's Ihnen noch ein paarmal. Solche Tricks mögen die gar nicht. Und da ist vielleicht noch was anderes..."

„Was denn?"

„Ach, nichts."

„Weinen Sie nicht gleich, ich flehe Sie an", scherzte er und rieb sich die Hände. „Ich finde: Ende gut, alles gut."

Für Charles Mac Gee und Bernard Lebailly war's auch zu Ende. Und zwar schlecht. Das vergaß der Versicherungsmensch wohl ganz.

„Ja. Sagen Sie, Monsieur Grandier: wer wußte darüber Bescheid, daß ich für Sie gearbeitet hab?"

„Aber niemand. Absolut niemand. Sie wissen doch, wie sehr ich auf totale Diskretion bedacht war."

„Ja, ja. Übrigens... jemand in Ihrer Firma..."

„Ja?"

„Ach, nichts..."

Jemand aus Grandiers Firma hätte den Schmuck nicht mir, sondern Grandier selbst zukommen lassen.

„... Na schön. Und gut. Ende gut, alles gut, wie Sie eben sagten. Hoffen wir's. Und bitte: weiterhin totale Diskretion. Nestor Burma: Sie wissen nicht, wer das ist, klar? Nie von ihm gehört."

„Sie können sich auf mich verlassen."

„O.k."

Ich machte eine großzügige Geste.

„... Nehmen Sie Ihren Schatz und sehen Sie zu, wie Sie damit zurechtkommen. Erzählen sie den Flics, was Sie wollen, wie Sie ihn wiedergekriegt haben und so. Sagen Sie, Sie hätten ihn auf Ihrer Fußmatte gefunden, zum Beispiel."

Er lachte.

„Nicht gleich so übertreiben", prustete er. „Auf der Fußmatte... das wär zu unwahrscheinlich."

Ich lächelte ihm zu.

„Die Wahrheit ist oft unwahrscheinlich", begnügte ich mich zu sagen.

„Werd mir trotzdem 'ne bessere Erklärung ausdenken. Ihr Name wird dabei aber nicht fallen."

„Vielen Dank."

„Das ist großartig!" rief er zum x-ten Mal.

Er sah die Flasche, die Gläser, den Eiskübel, alles für die trockne Kehle.

„Eigentlich trinke ich nie außerhalb der Mahlzeiten", sagte er vertraulich jovial. „Aber heute mach ich gern mal 'ne Ausnahme. Sie gestatten, daß ich mich einlade?"

„Aber, bitte. Nur zu... Hélène, würden Sie bitte... Monsieur Octave, möchten Sie auch etwas trinken?"

„Nein, danke", lehnte Monsieur Octave höflich ab.

„Vergessen Sie mich bitte nicht, Hélène."

„Serviert von anmut'ger Hand", kokettierte Monsieur Grandier.

Das „großartige" Ereignis war ihm etwas zu Kopf gestiegen. Er erhob sein Glas:

„Auf Ihr Wohl, Monsieur Burma. Mit bestem Dank meiner Versicherungsgesellschaft."

Er stellte sein leeres Glas auf das Tablett.

„Und jetzt..."

Er holte aus der Innentasche seiner Jacke ein dickes Bündel Zehntausendfrancsscheine.

„Ich hab mitgebracht, was ich in meinem Tresor finden konnte", sagte er lässig. „Alles andere regeln wir später."

„O.k. Davon kann ich erst mal 'ne Weile leben."

Ich schob das kleine Vermögen in eine Schublade. Um nichts in der Welt hätte ich's meiner Brieftasche anvertraut. Sie ist von labiler Gesundheit. Die Aufregung hätte sie umgebracht.

Jérôme Grandier quälte sich aus seinem Sessel und ging zum Schreibtisch, auf dem noch immer der Schmuck lag.

„Ich...", begann er... und verstummte. Er nahm seine Brille wieder von der Nase, tupfte sich den Schweiß ab. Er mußte lange tupfen. Eine Sorgenfalte lief quer über seine Stirn. Er setzte sich die Brille wieder auf.

„Ich hoffe, es fehlt nichts... Monsieur Octave!"

Fügsam kam Monsieur Octave der Aufforderung nach. Mit sorgenvoller Miene, den Ziegenbart auf Sturm, machte er anhand einer Liste Inventur. Endlich richtete er sich auf, hüstelte nachdenklich. Mit neutraler Stimme teilte er das Ergebnis mit:

„Es fehlt das Stück Nr. 7. Ohrringe."

Als wär's ihm scheißegal. Er brauchte ja keine.

Grandier runzelte die Stirn.

„Nr. 7? Die Ohr..."

„Ja, Monsieur. Die Smaragde. Zwei Smaragde verschiedener Größe an jedem Ohrring."

Grandier sah mich an. Ich zuckte die Achseln.

„Fehlt sonst noch was?" fragte ich.

„Nein, Monsieur", antwortete Monsieur Octave.

„Na ja, wegen vier grüner Steinchen werden wir uns doch nicht in den Hintern beißen..."

Grandier biß sich aber in den Hintern.

„Grüne Steinchen! Sie sind vielleicht gut! Diese grünen Steinchen, wie Sie sagen, haben einen Wert von ..."

„Beachtlich. Großartig. Schon möglich. die Marquise von Forestier-Cournon kann sich ja einen Flaschenboden zurechtschneiden lassen. Schließlich hätte sie um ein Haar von sämtlichen Glasperlen keine Splitter mehr gesehen ..."

„Natürlich", gab Grandier zu. „Trotzdem wär's mir lieber gewesen, wenn nichts gefehlt hätte ..."

Er warf Hélène und mir – vor allem Hélène – einen schrägen Blick zu. Hinterhältig und vielsagend. Mit seinem Toupet, immer noch auf viertel vor zwölf, sah der Kerl ziemlich unsympatisch aus. Schön jedenfalls für keine zwei Pfennige.

„Scheint Ihnen nicht zu bekommen, das Trinken außerhalb der Mahlzeiten", sagte ich. „Sie sollten weitermachen. Mäßig mit seinen Gewohnheiten brechen, das schadet nur."

„Wie bitte?"

„Sie sind nicht weit entfernt davon zu glauben, ich hätte die Klunker vom Tisch genommen, um sie meiner Sekretärin zu schenken, hm?"

„So was würde ich niemals ..." wollte er protestieren.

„Lassen wir's gut sein", schlug ich vor. „Wir sind alle etwas nervös. Am Ende werden wir uns noch gegenseitig beleidigen. Wär doch lächerlich, nicht wahr?"

„Höchst lächerlich", bekräftigte er und lächelte scheißfreundlich.

Hélène schnürte ein hübsches Paket. Monsieur Grandier klemmte es unter den Arm und verschwand, Monsieur Octave im Schlepptau. Keine Ahnung, ob die zwei sofort nach Hause gingen. Hélène und ich jedenfalls waren ziemlich aufgedreht und mußten noch etwas quatschen.

„Die Manieren dieses Kerls gefallen mir nicht", sagte ich. „Haben Sie sein dummes Gerede gehört? Hat mich fast als Dieb bezeichnet."

Hélène lachte gezwungen.

„Sie können sich glücklich schätzen, daß er Sie nicht Mörder genannt hat. Schließlich war's Charlie Mac Gee, der den Schmuck vorher hatte. Mac Gee ist tot, und heute lag der

Schmuck auf Ihrem Tisch."

„Tja... da fällt mir was ein..."

„Oh, bitte! Keine Einfälle mehr! Sie und Ihr Pflichtbewußtsein! Der Fall ist doch jetzt abgeschlossen, oder? Der gestohlene Schmuck ist frei Haus geliefert worden, kostenlos, und..."

Ich unterbrach sie:

„Eben. So frei und kostenlos find ich die Lieferung gar nicht. Sie schließt den Fall ab, stimmt. Aber für meinen Geschmack etwas zu sang- und klanglos."

„Ach Gott! Ihr Geschmack..."

„Ja, Herzchen... Die Sache hat sich erledigt. Aber nicht ein einziger Punkt ist geklärt. Im Gegenteil. Gerade der letzte Akt ist das Geheimnisvollste an der Geschichte. Charlie Mac Gee wurde umgebracht. Von wem, wissen wir nicht. Bernard Lebailly wußte zuviel und erlitt dasselbe Schicksal: ermordet, von der öffentlichen Hand eines Flics. Was das Ganze nicht gerade vereinfacht. Und ausgerechnet mir schickt man den Schmuck, mir! Wo doch nur Sie und Grandier von meinem Auftrag wußten. Wissen sie, was ich gerade glaube?"

„Nein", sagte der Zitronenfalter und lächelte honigsüß.

„Aber ich werd's gleich erfahren. Sie sterben doch vor Ungeduld, mir Ihre Theorie darzulegen."

„Alles nur Fakten. Charlie Mac Gee besitzt den Schmuck. Gegen Aushändigung will die Versicherungsgesellschaft ihm fünfzehn Millionen zahlen. Charlie Mac Gee wird umgebracht. Man klaut ihm den Schmuck und legt ihn mir ganz einfach vor die Tür. Keine neuen Verhandlungen, nichts. Als wär's das Natürlichste auf der Welt. Guten Abend, ich bring Ihnen den Schmuck. Leicht verrückt, hm?"

„Hab schon verrücktere Sachen erlebt, seit ich bei Ihnen arbeite. Und am Ende gibt's für alles 'ne Erklärung."

„Gut, geben wir 'ne Erklärung. Dieser Grandier und seine Gesellschaft stinken vor Geld. Aber je weniger sie davon loswerden, desto besser. Anstatt der Marquise die fälligen hundertfünfzig Millionen zu zahlen, blechen sie lieber fünfzehn Millionen an die Diebe. Mir dagegen, mir wird der liebe gute Grandier keine fünfzehn Millionen hinterherwerfen. Nicht ums Verrekken. Viel weniger. Klar?"

Hélène riß ihre großen hübschen Augen weit auf.

„Aber... Chef... das ist doch... ist doch Wahnsinn... absolut wahnsinnig... Sie meinen doch nicht..."

„Nur zu, Chérie. Hab das Gefühl, die grauen Zellen in Ihrem hübschen Köpfchen sind bei der Arbeit. Spucken Sie's nur aus."

„Also..."

Sie legte ihren Zeigefinger auf die Lippen, als wollte sie die Flut der Ungeheuerlichkeiten zurückhalten.

„Grandier hätte dann Charlie Mac Gee getötet – oder töten lassen –, um den Schmuck ohne einen Sou zurückzukriegen. Um die Beute rechtmäßig zu besitzen, hätte er sie Ihnen danach zukommen lassen. Er wußte ja, daß Sie ihm den Schmuck aushändigen würden..."

„Richtig. So ist er raus aus dem Schneider. Hat das Zeug von einem Privatflic, den er zu eben diesem Zweck engagiert hat. Genau das wird er erzählen, wenn er gezwungen ist auszupakken. Hat mich sozusagen engagiert, damit ich in dem Spielchen den Affen spiele."

„Aber das ist doch Wahnsinn", rief Hélène wieder. „Immerhin, Monsieur Grandier..."

„... hat verflucht viel Zeit gebraucht, um den Hörer abzunehmen. War womöglich grad erst nach Hause gekommen... von hier..."

„Das hat doch nichts zu sagen. Nein, Chef, das kann ich einfach nicht glauben."

Nach einer kurzen Pause rief ich:

„Ach, Scheiße!... Ja, stimmt. Völlig verrückt. In meinem Kopf..."

Ich schüttelte ihn.

„... da oben in meinem Kopf paßte alles herrlich zusammen. Aber wenn Sie diese Theorie laut aussprechen, merk ich, wie verrückt das alles ist... Trotzdem... Grandier wußte als einziger, daß ich mich damit beschäftigt hab. Wer sonst hätte mir das Paket vor die Tür legen können? Je mehr ich darüber nachdenke, desto undurchsichtiger wird die Geschichte ...“

„Moment!“ rief Hélène. „Nehmen wir einmal an, Mac Gee ist aus einem anderen Grund umgebracht worden? Er hat mit Drogen gehandelt, vergessen wir das nicht! Sein Mörder läßt den Schmuck mitgehen, kann ihn aber nicht loswerden. Also ...“

„... legt er ihn mir vor die Tür. Da wären wir wieder am selben Punkt angelangt. Woher wußte der Mörder, daß ich der Versicherung den Ramsch wiederbringen sollte? ... Und der Flic in Witwergestalt? Dieser eiskalte Engel, der gefeuerte Hotelportiers kaltmacht?“

Ich mußte selbst darüber lachen. Die Müdigkeit. Und die Nerven.

„Wir sollten besser ins Bett gehen“, schlug Hélène seufzend vor.

Sie stand auf und strich ihren Rock glatt. Ich gähnte.

„Was haben Sie da grade gesagt?“

„Wir sollten besser ins Bett gehen“, wiederholte sie.

„Wir?“

„Jeder für sich natürlich,“ präzisierte sie.

Ich sah auf meine Uhr.

„In fünf Minuten geht die erste Metro. Ich werd hier schlafen. Bis Montag. Hab's dringend nötig. Gehen Sie, mein süßer Engel. Charmante Träume.“

„Träume in Rosa. Und weit und breit kein Privatdetektiv.“

Bevor mir was Passendes einfiel, war sie schon geflüchtet.

Ich legte mich flach. Bevor ich die Augen schloß, grübelte ich noch über das ganze Durcheinander nach. Wenn Grandier nicht die Hauptperson war, dann wußte irgendeiner genauestens über meine Rolle in dem Spiel Bescheid. Der geheimnisvolle Unbekannte. Das war mir gar nicht lieb. Überhaupt nicht.

8.
Hoffnungsschimmer und tausend Sterne

Ich träumte, ich wär der berühmte Uhrendieb aus der Zeit des Wilden Westens, dessen Pferd von dem höllischen Lärm verrückt wurde, den die Beute des Betrügers in den Satteltaschen machte. Es hetzte sich zu Tode. Ich dagegen war dem Laster verfallen, einen ganzen Haufen von Weckern so einzustellen, daß sie nacheinander klingelten. Ein verrückter Traum. Gefiel mir gar nicht. Hatte das unbestimmte Gefühl, daß irgendwann während meines Traums so was wie ein Dieb (noch einer!) in mein Büro drang und einen anderen Traum verscheuchte. Diesmal einen wohltuenden, allerdings noch ziemlich undeutlichen Traum. Unmöglich, diese teuflischen Uhren zum Schweigen zu bringen.

Ich wachte auf und stieß als erstes einen lauten Fluch aus. Eine feine Art, den Tag zu begrüßen... oder die Nacht zu verabschieden. Es war nämlich noch dunkel. Das Klingeln hörte und hörte nicht auf. Es waren keine Wecker, sondern das Telefon. Zum Teufel mit diesem Höllenapparat! Ich befreite mich von dem Bettlaken, streckte den Arm aus und kriegte mit unsicherer Hand den Apparat zu fassen. Lahm, sehr lahm brachte ich den Hörer an mein Ohr. Ich gähnte mein „Hallo“ in die Muschel und sah auf die Leuchtziffern meines Weckers (meines einzigen!): halb drei. Dienstag, 21. Juni. Nein Mittwoch, 22. Juni. Seit hundertfünfzig Minuten. Eine Minute für jede Million, die der Schmuck der Marquise de Forestier-Cornon wert war! Und 22: Achtung, Polente!

Seit Monsieur Grandier vier Tage zuvor die funkelnde Beute mitgenommen hatte, war nichts – oder fast nichts – passiert. Keine böse Überraschung für Nestor, entgegen meinen Befürchtungen. Vielleicht war jetzt eine fällig.

„Hallo? Nestor Burma?"
„Ja."
„Hier Grandier."
„Hört man."
„Jetzt werf ich Sie mal aus dem Bett."
„Hm."
„Ich brauch Ihre Hilfe!"
„Um diese Zeit?"
„Soll nicht Ihr Schaden sein. Ich hab genug Geld zur Verfügung."
„Aber wir haben doch gestern abgerechnet."
„Dies Geld hier wäre für zusätzliche Leistungen."
„Und was muß ich dafür tun?"
„Mich von einem Paket befreien."
„Paket?"

Mit der freien Hand tastete ich nach dem Schalter meiner Nachttischlampe. Vielleicht kapierte ich im Hellen besser. Aber von dem brutalen Licht taten mir nur die Augen weh, mehr nicht.

„Ja, ein Paket", wiederholte Monsieur Grandier ungeduldig. „Ein besonders unhandliches Paket. Hier bei mir zu Hause. Boulevard Raspail. Mehr kann ich am Telefon nicht sagen. Kann ich mit Ihnen rechnen?"
„Ich komme."
„Danke."

Er legte auf. Ich setzte mich aufs Bett und betrachtete meine Füße. Mein Urteil fiel streng aus, sehr streng. Niemand widersprach mir. Die Nacht war warm und ruhig, wenig geeignet zum Diskutieren. Noch ganz benommen stellte ich mich hin. Dann knipste ich alle verfügbaren Lampen an und ging ins Badezimmer, um mir eine Handvoll Wasser ins Gesicht zu schütten. Wieder zurück im Schlafzimmer, machte ich mich auf die Suche nach meinen Kleidungsstücken, die ich dann in einigermaßen richtiger Reihenfolge anzog. Ein Paket. Zwischen mir und Monsieur Grandier ging es immer nur um so was. Als ich mir meine Jacke schnappen wollte, fielen einige Zeitungen auf den Boden.

Bekannte Schlagzeilen sprangen mir ins Auge:

GESTOHLENER SCHMUCK AUS DEM
CHATEAU-MIRAMAS WIEDER AUFGETAUCHT!

Beim Anziehen rief ich mir die Artikel ins Gedächtnis zurück.

... Jérôme Grandier hatte bis Montag gewartet und dann erst die Behörden von dem glücklichen Ereignis unterrichtet. Die Tageszeitungen, *Crépu* an der Spitze, berichteten zwar mehrspaltig auf der Titelseite darüber, aber so sehr viel gab das nicht her. Grandier hatte nicht grade viel Phantasie bewiesen, um das Wiederauftauchen des adligen Schatzes zu erklären. Hatte sich mit der Fußmattengeschichte begnügt, die ich ihm vorerzählt hatte... und die er vielleicht besser kannte als ich. Aber dieses Märchen war so gut wie jedes andere. Immerhin hatten ein paar wache Geister höflich um Erlaubnis gebeten, sich mit einem ungläubigen Zeigefinger am Kinn kratzen zu dürfen. Aber Grandier war ein ziemlich hohes Tier. Konnte 'ne Menge vertragen. Die Polizei jedenfalls ließ sich den Umständen entsprechend an der Nase herumführen und glaubte seiner Version. Schließlich hatte die Kripo weder im Fall Mac Gee noch im Fall Lebailly Wunder vollbracht. Weit davon entfernt. Dennoch, an Gründen für den nötigen Haß fehlte es ihr nicht. Auch ihr war ein Mann abhanden gekommen, damit kein Neid aufkam. Ich hatte von dem Mord in den Abendzeitungen erfahren.

INSPEKTOR BRANDONNEL AUF DER
JAGD NACH VERBRECHERN GETÖTET

Dazu ein Foto mit dem Opfer des eigenen Pflichtbewußtseins. Lucien Brandonnel war ein Mann in den besten Jahren, mittelgroß und mittelschlank. Schon lebend war sein Gesicht eher kalt gewesen, seine Augen glanzlos. Vielleicht würde ich eines Tages erfahren, warum er Bernard Lebailly umgebracht hatte. Gestanden hatte er jedenfalls nichts. Traurige Augen, sah aus wie ein Witwer, Prima, Nestor! Du hast einen Menschen auf Anhieb richtig eingeschätzt. Lucien Brandonnel, dessen berufliche und menschliche Eigenschaften allgemein gerühmt wurden, war tatsächlich Witwer gewesen. Schon ziemlich früh, was ihn sichtlich gezeichnet hatte. Die Rede war auch von einem Kind, das er ohne fremde Hilfe aufgezogen hatte. Seine Kollegen von der Tour Pointue beklagten einhellig seine Waghalsigkeit, durch die er an jenem Tag zu Tode gekommen war. *Die lüsterne Schlange*, ein streitbares Blatt, das nur dienstags erschien, nannte seinen Tod „geheimnisvoll". Aber für diese Schlange gab es kein normales Sterben. Hinter allem vermutete sie die Hand eines Freimaurers, der dem General der Jesuiten aufs Wort gehorchte. Oder umgekehrt. Schon seit rund zehn Jahren wurden solche intellektuellen Glanzleistungen in diesem Wochenblatt publiziert. Warum sollte sich das 1955 ausgerechnet für mich ändern, nur um mir eine Freude zu machen?

Abgesehen von ihrer abenteuerlichen Theorie erinnerte die Schlange immerhin nicht an die Gerüchte, die 1912 bei dem Tod von Jouin in Paris verbreitet worden waren. Stellvertretender Chef der Sicherheitspolizei, von Bonnot bei Gauzy in Ivry abgeknallt, wie beim Scheibenschießen...

Schon damals war vom „Krieg der Polizei" die Rede gewesen... von Streitereien zwischen den Abteilungen...

... Ich schüttelte mich, um aus meinen Träumereien wieder aufzuwachen. Während ich die Geschichte wiederkäute, die ich auswendig kannte, vergaß ich am Ende noch Grandier und sein Paket. Ich ging mir hastig mit dem Kamm durchs Haar und machte, daß ich zum Boulevard Raspail kam. Zum Glück fand ich nicht weit von mir ein leeres Taxi.

* * *

Die stahlglänzende Automatik schimmerte bläulich. Eine wuchtige, schwere Kanone. Die Kugeln hatten bestimmt ein hübsches Kaliber. Wußte gar nicht, daß Direktoren von Versicherungsgesellschaften so was besitzen. Aber man wird alt wie 'ne Kuh und lernt täglich noch dazu, vor allem nachts. Monsieur Grandier hielt jedenfalls so'n Ding in der Hand, als er mir höchstpersönlich die Tür öffnete.

„Sachte, sachte", sagte ich.

Er sah auf das Schießeisen in seiner Hand, so als bemerkte er es erst jetzt.

„Oh, entschuldigen Sie", sagte er und steckte die Waffe in die Tasche.

„Was ist los?" fragte ich ihn. Ich mußte mich ja wenigstens informieren.

„Kommen Sie", forderte er mich auf.

Im Salon wartete Überraschung Nr. 2 auf mich. Zwischen dem Tisch und dem Sessel lag ein lebloser Körper. „Das Paket, von dem Sie geredet haben?" fragte ich.

„Ja."

„Haben Sie ihn getötet?"

„Nur außer Gefecht gesetzt."

Der Mann war kaum dreißig, trug einen grauen, leicht mitgenommenen Anzug. Er selbst sah ebenfalls mitgenommen aus. Eine riesige Beule an der Stirn verunstaltete das längliche Gesicht mit den eng nebeneinanderstehenden Augen und den hohlen Wangen. Hand- und Fußgelenke waren mit einem Gürtel und einer Gardinenkordel gefesselt. Er atmete, aber nur so eben.

„Sie haben ja kräftig zugeschlagen", bemerkte ich.

„Ich hatte keinen Grund, ihn zu schonen", verteidigte sich Grandier.

„Ein Einbrecher ... oder einer Ihrer Kunden?"

„Ich scherze nicht, Burma."

„Ich auch nicht. Also, wer ist es?"

„Roland Gilles."

Ich pfiff durch die Zähne.

„Roland Gilles? Sieh mal einer an! War also doch keine Erfindung ..."

„Haben Sie an seiner Existenz gezweifelt?"

Ich hob die Schultern.

„Was weiß ich? ... Und was erwarten Sie jetzt von mir, Monsieur Grandier?"

„Wie ich schon am Telefon sagte: Sie sollen mir diesen Mann vom Hals schaffen. Das fällt schließlich eher in Ihren als in mein Bereich. Ich kann mir keinen Skandal leisten. Dafür zahle ich."

Er faßte in eine Schublade und warf ein Bündel Banknoten auf den Tisch.

„Hm ... Wie wär's, wenn Sie mir erzählen, was passiert ist?" schlug ich vor.

Er legte einen Briefbeschwerer auf die Scheinchen und begann, im Zimmer auf und ab zu gehen.

„Er hat vor dem Gebäude auf mich gewartet", begann er. „Ich kam von Freunden nach Hause. Er wollte mich sofort sprechen. Auf dem Boulevard konnten wir schlecht reden ... also hab ich ihn in meine Wohnung gebeten."

Er blieb stehen. Pause.

„Was wollte er?" fragte ich.

„Können Sie sich das nicht denken? Geld natürlich. Eine hübsche kleine Erpressung. Ich laß mich aber nicht erpressen. Ich zahle, was ich für richtig halte. Auf meine Weise. Erpressen ... mit mir nicht. Ich will keinen Skandal. Ich hätte die Polizei alarmieren können. Hab ihn aber lieber außer Gefecht gesetzt und dann Sie zur Hilfe gerufen. Sie werden schon damit zurechtkommen ..."

„Tja ... Haben sie ihn durchsucht?"

„Großer Gott, nein! Warum hätte ich das tun sollen?"

„Stimmt. Schließlich sind Sie kein Detektiv. Also werd ich's eben machen. Dann werden wir ihn wieder zum Leben erwekken und das Ganze in aller Ruhe mit ihm durchsprechen. Wahrscheinlich weiß er Bescheid."

„Worüber denn?"

„Über den Tod seines schwarzen Freundes und über diese Geschichte mit dem Schmuck."

Er hob die Arme.

„Also, das ist doch Unsinn!" rief er. „Ich hab Sie nicht kommen lassen, damit Sie ein Verhör mit ihm anstellen. Sie vergeuden meine Zeit. Für mich ist der Fall erledigt, abgeschlossen."

„Für mich noch lange nicht", unterbrach ich ihn. „Bedaure. Aber ich muß immer alles ganz genau wissen. Ich betrachte eine Sache erst als abgeschlossen, wenn ich auf alle Fragen eine Antwort habe. Und hier ist noch so einiges offen."

„Aber Sie haben doch den Schmuck wieder aufgetrieben."
„Das erklärt gar nichts. Im Gegenteil."
„Versteh ich nicht."
„Wenn's Sie tröstet: ich versteh genausowenig wie Sie."
Mit meiner Fußspitze stieß ich Roland Gilles leicht in die Rippen.
„Ich freue mich sehr, die Bekanntschaft dieses Herrn zu machen. Aber für Ihren Seelenfrieden, Monsieur Grandier, wär's besser gewesen, er hätte ins Gras gebissen. Da haben Sie nicht richtig geschaltet, wenn ich Ihnen das mal sagen darf. Es wäre alles viel einfacher für Sie gewesen! Anstatt ihm eins überzuziehen, hätten Sie ihm nur eine Kugel in den Kopf jagen müssen. Ein Einbrecher... ein Penner... Notwehr... Begreifen Sie? Wär leicht zu verdauen gewesen. Jedenfalls hätte er Ihnen nicht widersprechen können... Nur eine Leiche mehr in dieser Angelegenheit."
Grandier riß die Augen weit auf.
„Ist das Ihr Ernst, Burma?"
„Mein voller Ernst."
Mit einem boshaften Lächeln faßte er an seine Jackentasche, in der sein Revolver steckte.
„Vielleicht ist es ja noch früh genug, um meinen Fehler wiedergutzumachen", grinste er.
„Jetzt frag ich Sie: Ist das Ihr Ernst?"
Er antwortete nicht. Sein Arm baumelte ins Leere. Hastig furh er sich mit der Zunge über die Lippen. Plötzlich brach es aus ihm hervor:
„Durchwühlen Sie ihn! Wecken Sie ihn auf! Verhören Sie ihn! Aber dann haun Sie ab, beide! Ich will von der ganzen Geschichte nichts mehr hören. Für mich, hören Sie?, ist der Fall er-le-digt!"
Wortlos beugte ich mich über Roland Gilles und untersuchte seine Taschen. Die Beute war nicht sensationell. Zwei Briefchen Streichhölzer, Zigaretten, eine Brieftasche mit 'ner Menge Geld und einem Ausweis auf den Namen Roland Gilles. Vielleicht gefälscht, aber na ja... Ein Röhrchen Aufputschtabletten. Ein

Passepartout, Spezialausführung. Paßte wirklich überall. Keine Waffe. Und nichts, was mir verraten hätte, wo er sich seit seiner überstürzten Abreise aus dem Diderot-Hôtel rumgetrieben hatte. Aber vielleicht konnten mir die Streichhölzer weiterhelfen. Es handelte sich um diese Reklamegeschenke von Restaurants, die sie mit Genehmigung der S.E.I.T.A. an ihre treue Kundschaft verteilen. *Club de la Botte-Rouge, Rue de Nevers*, stand auf diesem hier. Der Stiefel von Nevers. Der Name des Wirts stand nicht dabei. Wahrscheinlich, weil er nicht Lagardère hieß.

Das war schon fast alles, was Roland Gilles bei sich hatte. Noch zwei Taschentücher und Zeitungen: eine Seite aus dem *Crépuscule* vom Vorabend und die letzten Ausgaben von *Samedi-Soir* und *France-Dimanche*, die allerdings vollständig. Ich warf nur einen flüchtigen Blick auf die Schlagzeilen. Auch das fand Grandier schon überflüssig. Die Wochenzeitungen berichteten ausführlichst von dem Schmuck der Marquise. Zwei Seiten lang, viel Text, dazu ein Foto der Marquise. Reizend, sehr gut erhalten. Wenn Roland Gilles alles sammeln wollte, was über den berühmten Schmuck geschrieben wurde, konnte er gleich einen Schuppen mieten. Ich überflog noch die anderen Artikel. Unter anderen amüsanten Geschichtchen fand ich die Information über die endgültige Wahl der Miß Müll im *Cave-Bleue*. Catherine Capron, eine Blondine, hatte es geschafft. Mehrere Fotos der strahlenden Siegerin zierten die Artikel über dieses typisch Pariser Ereignis. Fotos von vorn, von hinten, von der Seite, von unten und von oben. Die 32 Stellungen des Fotoreporters. Ziemlich offenherzig, das Foto aus der Vogelperspektive. Diese Taxi – denn sie verbarg sich hinter dem Namen – besaß wirklich zwei entzückende kleine Tachometerchen. Alles ziemlich uninteressant. Ich meine in bezug auf Roland Gilles. Taxis Busen war zwar sehr aufregend, und ihr Haar glänzte wie Gold, aber im Moment war ich hinter anderen Dingen her. Da machte mich die Seite aus dem *Crépuscule* schon glücklicher. Dort war eine kurze Notiz mit dem Fingernagel gekennzeichnet. Es ging da um einen gewissen Salibrani, ein ehemals stinkreicher Gangster, der inzwischen auf den Hund gekommen war. Man hatte ihn in Nizza verhaftet. So richtig glücklich konnte ich damit aber auch nicht werden. Kein leuchtender Silberstreif am Horizont.

Ich steckte den ganzen Krempel wieder dahin, wo er hingehörte, und begann mit den Wiederbelebungsversuchen. Lazarus öffnete die Augen und sah mich an, als hätte er mich noch nie gesehen. Was übrigens stimmte. Ich ging gleich zum Angriff über:

„Na, Kleiner? Wolltest du Monsieur 'n bißchen erpressen? Schämst du dich denn gar nicht? Bei so einem schönen Wetter! Willst du, daß der Liebe Gott uns Regen schickt?"

„Verdammte Scheiße!" fluchte der Junge mit leicht südfranzösischem Akzent. „Der Alte da schlägt aus wie 'n Maulesel. Gehört sich das? Und Sie? Wer sind Sie denn?„

„Privatflic. Hast nichts zu befürchten. Versprich mir, schön brav zu sein, und ich bind dich los. Tust mir richtig leid, wie du da so liegst..."

„Hab keine Lust, den Blödmann hier zu spielen", knurrte er. „Dazu hatte ich noch nie Lust. Privatflic? Dann hatten wir also mit dir die Verabredung, Charlot und ich?"

„Charlot?"

„Mac Gee."

„Hm. Kann sein."

Ich nahm ihm die Fesseln ab. Mit einer Hand. In der anderen hielt ich meinen besten Freund, für alle Fälle. Völlig unnötig. Gilles stand schwankend auf, rieb sich die eingeschlafenen Gelenke, befühlte seine Beule, suchte eine Sitzgelegenheit, fand eine und ließ sich darauf fallen.

„Wieso erpressen?" fragte er unschuldig. „Ich will nur das Geld, das mir zusteht."

„Ihnen steht gar nichts zu!" schrie Grandier. „Machen Sie, daß Sie wegkommen!"

„Nur keine Aufregung", beschwichtigte ich. „Wir werden das mal in aller Ruhe durchsprechen. Los, Roland!" Ich setzte mich auf eine Tischecke, Pfeife im Mund, Kanone in der Hand. „Darfst den Ton angeben. Aber keinen falschen, klar? Lüg nicht das Blaue vom Himmel! Was hattest du heute nacht hier zu suchen?"

„Wollte meine Provision kassieren."

„Provision? Wofür?"

„Für die Glasperlen von Mutter Forestier."

„Welche Rolle hast du dabei gespielt?"

„Na ja... schließlich habt ihr das Zeug wieder, oder?"

„Nicht durch Sie, soviel ich weiß", mischte sich Grandier ein.

„Aber ich war von Anfang an mit dabei. Charlot und ich, wir waren wie..."

Er hob die Hand, Zeigefinger und Mittelfinger aneinandergelegt.

„... Brüder..."

Die Stimme versagte ihm. Überraschte mich, diese Gemütsbewegung.

„... Ich war so was wie sein Bevollmächtigter", fuhr er fort. „Hab Kontakt zu Ihnen hergestellt, Monsieur..."

Er sah Grandier an. Der richtete sich steif auf, so als hätte jemand seine Würde verletzt.

„... das sollten Sie nicht vergessen. Ich..."

„Alles Märchen", schnitt ich ihm das Wort ab. „Du kannst nicht erwarten, daß man dir auch nur einen Sou in die Hand drückt für etwas, was du nicht in der Hand hattest. Du hast dein Glück versucht. Dagegen ist nichts einzuwenden. Doch du mußt das verstehen, mein Sohn: hier ist nichts zu holen. Aber andererseits... Ich bin neugierig. Ihr wart also so dicke Freunde..."

Ich hob die Hand, wie er vorher, Zeige- und Mittelfinger aneinandergelegt.

„Jawohl", bestätigte Roland Gilles. „Wie Brüder..."

Wieder kippte seine Stimme um.

„Dann hast du ihn also nicht umgelegt?"

„Um Himmels willen, nein!" rief er, ehrlich entrüstet. „Wo haben Sie denn das her?"

„Nirgendwo. Wer hat ihn dann umgelegt?"

Er verzog das Gesicht.

„Weiß ich nicht."

„Keinen Verdacht?“
„Keinen Verdacht.“
„Gut, also keinen Verdacht. Auch keinen Schiß?“
„Wieso Schiß?“
„Schiß, daß die Mörder, nachdem sie dem Schwarzen...“
„Dem Schwarzen!“ unterbrach er mich bissig. „Er hatte einen Namen!“
„Schon gut. Lenk nicht ab. Schiß also, daß die Mörder nach Mac Gee jetzt dir den Hals umdrehen könnten.“
Er schüttelte den Kopf.
„Nie dran gedacht.“
„Siehst tatsächlich nicht so aus, als hättest du Schiß.“
„Sag ich doch.“
„Nein, heute... *heute*... hast du keinen Schiß. Vielleicht weil Salibrani im Knast ist?“
Ein Versuchsballon. Vieleicht hatte der kurze Artikel im *Crépuscule* irgendwas zu bedeuten. Der Junge zeigte Wirkung. Nur schwach, aber immerhin. Er schluckte.
„Salibrani?“ fragte er naiv.
„Ein Gangster, den die Flics in Nizza eingesperrt haben. Ein Jammerlappen. Völlig am Ende. Nur ein paar Zeilen in der Presse. Wäre er reich gewesen, hätte man bei ihm Geld gefunden... oder in seiner Nähe. So was wirbelt Staub auf. Und wenn er auf Draht gewesen wär, hätte er sich besser versteckt. Ein richtiger, waschechter Jammerlappen.“
„Ich kapier immer weniger“, beschwerte sich Roland Gilles und betastete vorsichtig seine Beule. „Am besten, Sie geben auch gleich die Antworten auf Ihre Fragen.“
„Das ist 'ne Idee. Dann ging's schneller. Hör mal gut zu, Kleiner...“
Ich wandte mich an Jérôme Grandier:
„... Entschuldigen Sie, daß ich Sie vom Schlafen abhalte, aber...“
Er hob resigniert die Schultern.
„Oh! Nehmen Sie nur keine Rücksicht auf mich.“
Er machte es sich in einem Sessel so bequem wie möglich. Was

anderes blieb ihm im Augenblick auch gar nicht übrig. Ich nahm mir wieder Roland Gilles vor:

„Also, Kleiner, ich seh die Sache so: Charles Mac Gee besaß die Klunker der Marquise, hatte sie aber nicht geklaut. Das heißt, er hatte sie geklaut, aber nicht der Marquise, sondern den eigentlichen Dieben. Ihr zwei taucht zusammen in Paris auf, wie in *Manon Lescaut*. Mac Gee hat Angst und verbarrikadiert sich in seinem Hotel, in einem Viertel, wo er sicher sein kann, nicht aufzufallen. Denn hier laufen Schwarze in Hülle und Fülle rum. Und die sind ja für uns manchmal kaum voneinander zu unterscheiden. Die Botengänge übernimmst du, denn außerhalb dieser Sicherheitszone fällt man mit Mac Gees Teint leicht auf. Roland immer dabei. Du stellst Kontakt mit Monsieur Grandier her. Monsieur Grandier seinerseits... Siehst du, ich bin kein Geheimniskrämer wie du. Werd dich über meine Rolle in dem Spiel aufklären. Ja, ich war's, der mit euch die Verabredung hatte. Sollte rauskriegen, ob das, was ihr anzubieten hattet, den Transport wert war. Falls ja, sollte ich über die Transportkosten verhandeln. Alles wär auch hundertprozentig glattgegangen, hätte sich Mac Gee vor der heißen Konferenz der Drei Großen nicht kaltmachen lassen. Aber so gegen 22 Uhr befördert man ihn ins Jenseits und klaut ihm sein Geld... und den Rest. Dann kommst du zum Zimmer 42. Wirst meinen Scharfblick bewundern. Die Tür ist abgeschlossen – der oder die Mörder haben den Schlüssel mitgenommen –, aber du hast ja deinen Passepartout. Gehst rein. Bekanntes Bild. Du schließt wieder ab und verduftest. Du kennst die Täter. Erst hat Mac Gee sie reingelegt, dann haben sie ihn umgelegt. Du hast Angst um deinen Kopf. Tauchst unter. Für alle Fälle – du denkst an die Zukunft – hältst du die Verbindung zu Monsieur Grandier aufrecht. Telefonierst mindestens einmal, aber das ist nicht so wichtig. Genausogut hätten wir dich nie wiedersehen können. Du verkriechst dich, bis die Gefahr vorüber ist. Inzwischen ist der Schmuck wieder im Schoß der Versicherung. Anzunehmen, daß Monsieur Grandier sehr glücklich darüber ist. Also riskierst du's, hierher zu kommen und 'n paar Francs zu verlangen. Sozusagen als Prämie für langjährige Betriebszugehörigkeit. Stimmt's?"

Er machte ein langes Gesicht.

„So ungefähr."

„Aber ist die Gefahr wirklich vorüber?" gab ich zu bedenken.

„Kommt drauf an, welche Gefahr Sie meinen", antwortete er, für meinen Geschmack etwas zu bereitwillig. „Mir kann immer noch passieren, daß ich den Flics in die Arme laufe. Deshalb bin ich ja auch so schnell wie möglich aus dem Diderot-Hôtel abgehauen, als diese Scheißkerle Charlot umgebracht hatten. Die Angestellten im Hotel wußten natürlich, daß wir uns kannten. Charlot und ich. Ich wollte nichts mit den Flics zu tun haben. Verständlich, oder?"

„Sehr verständlich. Und besteht die Gefahr immer noch?"

„Ja. Deswegen brauch ich etwas Geld. Um mich abzusetzen."

„Und dieses Geld wolltest du dir heute abend verschaffen?"

„Ja. Hab's wenigstens versucht."

„Anstatt dir Geld zu geben, könnten wir dich übergeben. Der Polizei nämlich."

„Ja, Scheiße!" Er machte eine lässige Handbewegung. „Dann erzähl ich denen, daß die Chefs der Internationalen Versicherungsgesellschaft mit uns über das Lösegeld für den geklauten Schmuck verhandelt haben. Nicht sehr anständig! Säh gar nicht gut aus für Monsieur Grandier & Co."

„Weißt du, Kleiner, jetzt haben wir ja die Beute wieder. Was meinst du, wie sehr uns das egal ist, was die Flics denken, nicht wahr, Monsieur Grandier?"

„Genau", bekräftigte der. „Trotzdem ... ich möchte einen Skandal vermeiden."

Ich wandte mich wieder an Roland Gilles.

„Du bist ein Glückspilz. Kriegst zwar keinen Sou von uns – so blöd sind wir nämlich nicht! –, aber du kommst als freier Mann hier raus ... und befreit von jeder Gefahr. Denn vor Salibrani hattest du ja keine Angst ..."

„Sie wieder mit Ihrem Salibrani", sagte er achselzuckend.

„Kennst du ihn nicht?"

„Nein."

„Aber hast dich für ihn interessiert. Also, ich bin sicher, das ist der Schmuckdieb Nr. 1. Ich fang nochmal ganz von vorne an. Egal. Kannst mir bei Gelegenheit einen ausgeben. Für den trokkenen Hals. Und den fusseligen Mund. Also: du findest deinen toten Freund. Für dich ist klar: Salibrani ist der Täter...“

Schwacher Protest.

„Ich nehm die Namen, die mir passen“, knurrte ich. „Salibrani ist für dich der Mörder. Du verduftest, weil du fürchterliche Angst hast, selbst um die Ecke gebracht zu werden. Deshalb versteckst du dich, schläfst so wenig wie möglich. Nimmst Aufputschtabletten. Eine der läßlichen Sünden hier im Viertel. Nicht gut für Gesundheit und Schönheit, aber lassen wir das. Du verkriechst dich also. Die Zeitungen melden das Auftauchen des Schmucks. Du tauchst aber noch nicht auf. Erst als du durch die Zeitungen erfährst, daß Salibrani eingelocht worden ist, atmest du auf. Der ist nämlich in so einer schlechten Verfassung, daß es keinen Zweifel geben kann: er hat den Schmuck nicht mehr gesehen, seit Mac Gee ihn geklaut hatte. Also hat nicht Salibrani der Versicherung den Schmuck wiedergebracht. Also hat er Mac Gee auch nicht umgelegt. Also kannst du auftauchen. Stimmt's?“

„Das hat weder Hand noch Fuß“, erwiderte Roland Gilles. „Angenommen, Salibrani war tatsächlich Dieb Nr. 1. Und hat auch Charlot umgebracht. Was hab ich damit zu schaffen, hm? Ich war Charlots Freund, gut. Aber ich hatte nie was mit den Gangstern zu tun. Sie kannten mich nicht mal.“

„Das ist keine Antwort auf meine Frage“, bemerkte ich.

„Werden sich wohl damit begnügen müssen, Alter. Schön. Also, M'sieur“, wandte er sich händereibend an Grandier, „nichts drin für mich, aus dem großen Topf?“

Jérôme Grandier schüttelte verneinend den Kopf. Roland Gilles seufzte.

„Schade. Na gut, dann hau ich jetzt ab.“

Er stand auf.

„Moment“, sagte ich. „Ich hab noch 'ne andere Version. Du machst den Neger kalt...“

Entsetzte Geste. Protest. Haßerfüllter Blick. Alles in meine Richtung.

„Jetzt gehört dir der Schatz", fuhr ich fort. „Dir alleine. Du legst..."

Ich versicherte mich durch einen komplizenhaften Seitenblick, daß Monsieur Grandier mir nicht dazwischenredete.

„... legst einen Teil der Beute auf die Fußmatte..."

Der Strolch von der traurigen Gestalt lachte laut auf:

„Auf die Fußmatte, genau. In Seidenpapier gewickelt, rosa Bändchen drum. Das haut nicht hin, Alter. Weiß zwar nicht, wie Sie an den Kram rangekommen sind, aber so bestimmt nicht."

„Doch, Kumpel, genau so. Der Teil der Beute, den wir wiederhaben, lag auf einer Fußmatte."

„Nur ein Teil?"

Er runzelte die Stirn.

„Den Zeitungen erzählen wir natürlich nur, was wir für richtig halten", erklärte ich. „Beim Appell fehlten aber noch einige wertvolle Steinchen. Wär übrigens noch 'ne einleuchtende Erklärung für dein Auftauchen heute abend..."

„Das haut auch nicht hin", bemerkte er. „Hab Ihnen erzählt, warum ich gekommen bin. Was Sie sich da zusammenreimen, ist Quatsch."

„Wie so viel... Paß nur auf, daß dir's nicht so geht wie Charlie Mac Gee. Sag Bescheid, wenn's soweit ist. Und wenn du die Steinchen siehst, die in unserer Sammlung fehlen. Wo kann man dich finden?"

Er lachte:

„Schlauberger! Ich sag schon rechtzeitig Bescheid."

„Benimm dich nicht so wie Mac Gee, dieses Schwein."

„Scheißflic", schimpfte er. „Wie kommen Sie dazu, meinen Freund ‚Schwein' zu nennen?"

„War er keins? Nein? Um so besser. Ich finde aber trotzdem, er war eins. Sich einfach so umlegen zu lassen, bevor ich mit ihm fertig war. Hat mir das Leben ganz schön schwergemacht."

Ich hatte das Gefühl, er wollte sich auf mich stürzen. Er

wurde blaß, fing an zu zittern, ballte die Fäuste. Aber dann beherrschte er sich doch.

„Ich wünsche Ihnen", knurrte er, „daß sie in Ihrem beschissenen Leben einem so feinen Kerl begegnen wie ihm, Sie verdammter Flic." Seine Stimme bebte vor Erregung. „Adieu."

„Ich geh mit", sagte ich. „Möchte nicht, daß dir was passiert."

Kein Widerspruch. Ich steckte meine Kanone ein, meine Pfeife, das Geld, das Jérôme Grandier für mich auf den Tisch gelegt hatte. Auch Grandier widersprach nicht. Ich sollte ihm das Paket vom Hals schaffen. Also tat ich's.

„Auf Wiedersehn, Monsieur."

„Auf Wiedersehn", sagte Grandier. „Ich hoffe, ich verstehe eines Tages, was diese sterbenslangweilige Diskussion sollte."

„Bestimmt. Bei mir klärt sich am Ende immer alles auf."

Roland Gilles und ich verließen zusammen den gastlichen Ort, wie zwei stumme Fische. Im Fahrstuhl wechselten wir kein Wort. Auch unten im Hausflur fiel kein Sterbenswörtchen.

Ich drückte auf den automatischen Türöffner.

Mein stummer Begleiter ging zuerst hinaus. Als ich ebenfalls ins Freie treten wollte, warf er die Tür zu. Die scharfe Kante schlug mir mit aller Wucht gegen die Schläfe. Gleichzeitig schickte mich der Türknauf mit einem K.-o.-Schlag in den Magen auf die Fliesen. Die Tür knallte ins Schloß. Ich glaub, dabei kriegte ich noch eins auf die Rübe.

Dann hörte ich nur noch Glockengeläut. Kein Wunder in diesem Arrondissement mit den vielen Kirchen. So langsam nahm der Fall Formen an: Man hatte beschlossen, mich k.o. zu schlagen. Na prima, wie Charlie Mac Gee gesagt hätte.

9.
Kopfgeschichten

Man soll sich nicht von der Begeisterung aufs Kreuz legen lassen. Tat mir gar nicht gut. Beinahe zwei volle Tage brauchte ich, um wieder zu mir zu kommen.

* * *

Eine zarte Hand wischte mit einem frisch duftenden Tuch über mein Gesicht. Ich öffnete die Augen. Ich lag zu Hause in meinem Bett. Über mir wunderschöne kastanienbraune Haare mit zartem Herbstschimmer. Braun und zart, sehr apart. Fühlte mich ungeheuer geborgen unter der wachsamen Haarpracht. Haare und Hand gehörten Hélène, dem wohlbekannten schönen Kind. Kranksein kann viel Spaß machen.

„Mir scheint, ich hab ganz schön was abgekriegt", sagte ich.

Meine Stimme klang klar und deutlich. Kräftig, wie gewohnt. Sie gefiel mir, meine Stimme.

„Ja", bestätigte Hélène. „Aber vor allem waren Sie ganz schön unvorsichtig. Wollten einen waschechten Nestor Burma spielen. Wie üblich."

„Wie meinen Sie das, mein Schatz?"

„Wenn Sie sich wenigstens damit begnügt hätten, einfach nur aus den Latschen zu kippen und dort zu bleiben, ohne dagegen anzukämpfen ... wenn Sie hübsch liegengeblieben wären, unten im Flur, und gewartet hätten, bis Sie wieder von selbst zu sich gekommen wären ... oder ein Mieter Sie dort gefunden hätte ... Wär sehr viel besser gewesen für Ihre Gesundheit, sagt der Arzt."

„Was hab ich den gemacht? *Jitterbug* getanzt?"

„So ungefähr. Sie haben sich zum Fahrstuhl geschleppt, haben es geschafft, ihn in Gang zu bringen, sind bis in Grandiers Stockwerk gefahren und haben an seiner Tür geklingelt."

„Und er hat mich auf der Fußmatte gefunden?"

„Genau."

„Hat sicher blöd aus der Wäsche geguckt."

„Ganz bestimmt."

„Ich hab wohl nicht so appetitlich ausgesehen wie der restliche Schmuck der Marquise, auf den er wartet."

Hélène riß die Augen weit auf.

„Der restliche Schmuck? Welcher Rest?"

Ich versuchte zu lachen, soweit mir das mein armer Kopf erlaubte. Er erlaubte es. Kein Muskel tat weh. Sehr gut.

„Jetzt glaub ich schon an meine eigenen Märchen. Den Bären hab ich einem andern aufgebunden... Also, so ein Theater hab ich veranstaltet? Kann mich an nichts erinnern."

„Und weiter meint der Medizinmann, daß diese Anstrengungen Sie so erledigt haben. Ihr Zustand war sowieso schon vorher nicht beneidenswert."

„Fühl mich aber schon besser. Vergessen wir's. Ich fühl mich sogar sehr gut. Möchte zwar nicht behaupten, daß mich noch so'n Schlag auf die Rübe überglücklich machen würde, aber vertragen könnte ich jetzt wieder einen."

„Ja, sieht ganz so aus, als ging's Ihnen besser."

Ihre sanfte Hand, zart und kühl, suchte meinen Puls, fand und fühlte ihn. Sehr angenehm, krank zu sein. Sehr.

„Ja, scheint Ihnen wieder besser zu gehen."

„Wann ist mir das passiert?"

„Heute ist Donnerstag, der 23. Juni. Gleich Mittag."

‚Punkt zwölf', mischte sich die Wanduhr mit genau zwölf Schlägen ein. Ich rechnete nach.

„Mehr als dreißig Stunden ist das jetzt her, ungefähr. In dreißig Stunden kann 'ne Menge passieren."

„Was sollte denn passieren?"

„Keine Ahnung."

Dann fuhr ich fort, meine Witze zu machen.

„Es kann nur noch besser kommen, sagt man. Erst die Armbrust, dann die Artillerie. Nach der Artillerie die Atombombe. Nestor Burma geht mit der Zeit. Früher, in der guten alten Zeit, kriegte ich eins mit dem Knüppel auf den Schädel. Heute nimmt man schon Haustüren. Sollte mich nicht wundern, wenn ich eines Tages im 7. Arrondissement den Eiffelturm ins Kreuz kriege."

„Nein", sagte Hélène. „Man sollte die Hoffnung nie aufgeben."

Mit einem Lächeln auf dem Gesicht schlief ich ein.

* * *

Um vier Uhr nachmittags stand ich auf, duschte, rasierte mich, aß 'ne Kleinigkeit (Hélène hatte was Leichtes zubereitet), trank einen halben Liter Kaffee und rauchte genußvoll eine Pfeife. Machte mir alles keine Schwierigkeiten. Ich war völlig in Ordnung. Es konnte gleich wieder losgehen...

„Mein Gott! Wozu?" rief Hélène. „Sie sind unvernünftig. Der Schmuck ist wieder da. Sie haben Ihr Geld. Sogar noch einen kleinen Nebenverdienst. Vergessen Sie mal Ihre Berufsehre und lassen Sie's damit gut sein. Kann nur schlimmer für Sie kommen. Der Beweis..."

„Eben! Jetzt hab ich einen ausgezeichneten Grund, nach Roland Gilles zu suchen. Muß unbedingt mit ihm über den Trick mit der Tür sprechen."

„Ja, warum hat er das eigentlich gemacht?"

„Das war, glaub ich, für die ziemlich üblen Ausdrücke, die ich für seinen Freund gebraucht habe... geb ich ja zu... Er und der Schwarze müssen tatsächlich durch freundschaftliche Bande verbunden gewesen sein."

„Wie schrecklich!"

„Wieso schrecklich? Hören Sie, Sie tun doch immer so naiv! Ideen haben Sie auf einmal! Daß Sie mir dabei bloß nicht rotwerden! Ich mach weder dreckige noch spezielle Andeutungen. Ich sagte: freundschaftliche Bande, nicht zarte. Freunde waren sie. Dicke Freunde. Wie Brüder. Soll vorkommen, auch bei Ganoven. Hauen sich nicht immer was in die Fresse... Also, deshalb donnert er mir die Tür vor die Nase. Und weil er mich loswerden will. Ich soll doch nicht wissen, wo er wohnt. Aber von wegen! Ich hab da so 'ne hübsche kleine Idee... Und da das Wetter schön ist und mir ein Spaziergang guttun wird, schlag ich vor – natürlich nur, wenn Sie wollen –, einen kleinen Erkundungsgang durchs Viertel zu machen. Als Verliebte oder als Touristen, Sie haben die Wahl."

„Touristen wär mir lieber", entschied sich Hélène ohne Zögern.

„Mir auch. Einen Touristen zu spielen, fällt mir leicht. Mit der Rolle als Verliebter hätte ich schon größere Schwierigkeiten..."

Nachdem wir diesen hausgemachten Blödsinn losgeworden waren, konnten wir gehen.

* * *

Bei brütender Hitze ist die Rue de Nevers eine Wohltat. Die Sonne hält sich hier in diesem schmalen, dunklen Schlauch nicht lange auf. An der Rue de Nesles, die von der Rue Dauphine in die Straße mit den himmelhohen Häuserfassaden mündet, beginnt die Sackgasse. Übrigens stand, glaube ich, am Anfang der Rue de Nevers, dort wo sich heute der Torbogen mit den vielen Inschriften und dem lauten Echo befindet, der berühmte Turm der Marguerite de Bourgogne. Diese hygienisch bewußte Königin ließ ihre Liebhaber nach Gebrauch von diesem Turm aus in die Seine werfen. Wie weitsichtig! Sanitäre Einrichtungen für die Intimpflege. Aber das ist Schnee von gestern, wie der Dichter sagt.

Der Club de la Botte-Rouge lenkte die Aufmerksamkeit der Passanten – in diesem Fall von Hélène und mir – durch ein vorspringendes Schild auf sich, auf dem ein riesiger Stiefel in entsprechender Farbe abgebildet war. So was sieht man manchmal noch über einer Schusterwerkstatt. Der Club war in einem Schuppen oder einer ausgedehnten Garage untergebracht. Natürlich war die Holztür geschlossen. Hätt' ich mir denken können. Diese Lokale sind vor allem nachts in Betrieb. Aber ich wollte erst mal die Fühler ausstrecken. Viel gab's jedoch nicht zu fühlen.

Auf einem Schild, das jeden Augenblick runterzufallen drohte, wurde behauptet, daß die einzelnen Zimmer der Wohnungen in dem alten Gebäude neben dem Club in möblierte Zimmer umgewandelt worden waren. Ein zweites Schild versprach Gas und Elektrizität auf allen Etagen. Von dem Eingangsflur des Hauses war nicht die Rede. Mit gutem Grund: er war dunkel und stank nach Desinfektionsmittel.

Von außen war der Club de la Botte-Rouge nicht leicht zu überwachen. Nichts auf der Straße gab so was wie einen Beobachtungsposten her. Genau gegenüber befand sich eine Buchbinderei. Das war auch schon alles. Kein Bistro, nichts. Nur Häuserwände.

„Hab das Gefühl, meine hübsche kleine Idee war nicht viel wert", sagte ich zu Hélène. „Hauen wir ab. Hier kriegen wir noch Rheuma. Gehen wir ein Glas trinken..."

Wir gingen ins Deux Magots und setzten uns auf den Teil der Terrasse, von dem man den schönsten Blick auf die reizvollste Kirche von Paris hat: Saint-Germain-des-Prés. Nachdem ich an meinem Glas genippt hatte, zündete ich mir eine Pfeife an und begann wieder:

„Meine Idee taugte nicht viel. Diese Streichhölzer sind kein Indiz. Hab mich hinreißen lassen wie ein Anfänger."

„Hoffentlich entmutigt Sie das", sagte Hélène. „Würde Ihnen einigen Ärger ersparen. Aber was ist mit Ihnen los? Sie gefallen mir gar nicht. Immer noch der Stoß mit der Tür?"

„Muß wohl. Hatte mich an Knüppel gewöhnt, verstehen Sie? Und jetzt diese neuen Behandlungsmethoden... noch nicht dagewesen... Eins hab ich jedenfalls durch die Plauderei mit Roland Gilles erfahren: der Mord an dem Schwarzen war keine Abrechnung unter Ganoven, wie wir gedacht hatten. Roland ist auch wieder auf seine erste Version zurückgekommen. Da muß sich irgend so 'ne Sauerei abgespielt haben, so was, wie Sie neulich angedeutet haben. Erinnern Sie sich?"

Sie runzelte die Stirn, verzog das Gesicht und zerstruwwelte sich leicht das Haar, um den Erinnerungen Beine zu machen, die darunter schlummerten.

„Na gut... Um Ihnen eine Freude zu machen", begann sie. „Der ehemalige *drummer-boy* muß nicht unbedingt wegen des Schmucks umgebracht worden sein. Ein anderer Grund... den wir nicht kennen... Und sein Mörder hat dann auch noch den Schmuck mitgehen lassen, weil so was immer gut ist. Als er aber merkte, wie gefährlich die Juwelen der Marquise waren, hat er sie Ihnen zukommen lassen, anonym..."

„Jawohl, mein Schatz. So ähnlich muß das wohl abgelaufen sein. Aber Geheimnis Nr. 1, das mich am meisten quält: woher wußte der Mörder, daß ich was damit zu tun hatte? Mein Verdacht fiel auf Grandier..."

„... was völlig verrückt war."

„Absolut unbrauchbar. Roland Gilles genauso. Also? Wer? Stellen Sie sich vor, ich hab auch schon an eine Frau gedacht."

„Eine Frau? Wer denn?"

„Keine Ahnung. Eine Frau... ganz allgemein. Wegen der fehlenden Ohrringe. Diese Frau konnte eben nicht widerstehen... wollte ein Souvenir von dem Klimbim, den sie abgeben mußte."

„Ja, schon möglich. Bringt Sie aber auch nicht weiter."

„Bringt mich überhaupt nicht weiter... Wo mag Roland Gilles jetzt wohl sein?"

Ich machte eine vielsagende Handbewegung.

„Mein Gott!" rief Hélène. „Wie pessimistisch! Aber weil Sie sich ja sowieso um jeden Preis in Dinge einmischen wollen, die Sie nichts angehen, bleibt Ihnen nur der Club de la Botte-Rouge. Sie haben gesagt..."

„Ich hab Scheiß erzählt!"

„Brüllen Sie nicht so. Vor allem nicht solche Wörter."

Gehorsam senkte ich meine Stimme:

„Ich hab ganz und gar nicht mehr den Eindruck, daß das eine gute Spur ist."

„Das können Sie doch noch gar nicht wissen. Solange Sie keinen Fuß reingesetzt haben..."

„Natürlich werd ich hingehen. Und vielleicht schon heute abend. Aber viel Hoffnung hab ich nicht. Obwohl... hätte gern weiterhin Kontakt mit Roland gehabt."

Sie lächelte:
„Um mit ihm über den Trick mit der Tür zu sprechen?"
„Ja... Warum, glauben Sie, hab ich versucht, ihn glauben zu machen... entschuldigen Sie den Satz, aber mir steht jetzt nicht der Sinn nach brillanten Formulierungen... ihn glauben zu machen, daß noch ein Rest von dem Schmuck frei rumläuft? Die Ohrringe meinte ich nicht damit. Hab von ungefähr der Hälfte gesprochen."
„Hat er Ihnen das etwa abgenommen?"
„Jetzt sind Sie pessimistisch."
„So was ist ansteckend. Achten Sie nicht drauf. Reden Sie weiter."
„Ich hab ihm dieses Märchen erzählt, damit er auf Trab kommt... und sein Hirn in Bewegung setzt. Er kannte Mac Gee besser als wir alle. Der Schwarze hatte vielleicht... hatte ganz sicher Verbindungen, von denen wir nichts wissen... aber Roland. Also hab ich mir gesagt: wenn meine falschen Hinweise den Kleinen auf was Richtiges hinweisen, wenn er jemanden aufspürt, an den er bis jetzt noch nicht gedacht hat, und wenn dieser Jemand der Richtige ist... Merken Sie, wie raffiniert das eingefädelt war?"
„Sehr raffiniert."
„Zu raffiniert", lachte ich. „Ich und meine Tricks! Ich müßte Roland auf den Fersen sein wie sein eigener Schatten. Aber ich weiß im Augenblick nicht mal, wo er ist. Ich weiß nicht mal, ob er mir geglaubt hat, wie Sie schon sagten. Und dann... was hätte ich eigentlich davon? Auf jede Frage eine Antwort, so'n Witz! Sie haben recht, Chérie, wie immer."
Mit einer Handbewegung wischte ich alles zur Seite. Dann zog ich Hélènes Kopf zu mir ran und flüsterte in ihr niedliches Öhrchen:
„Also... Scheiß was drauf!... Reden wir über was andres."
„Ja", stimmte sie eifrig zu, „über etwas, das keine Gelegenheit zum Fluchen gibt."
„Ob's so was wohl gibt?" fragte ich seufzend.
Nach einer Schweigeminute rief Hélène:

„Deux Magots! Ziemlich komischer Name für ein Café. Warum heißt das so?"

„Ganz einfach", sagte ich. „Genau an dieser Stelle war früher mal ein Handarbeitsgeschäft... Strickw.aren und so. Das Bistro hat dann den Namen behalten... und das Ladenschild. Es hängt im Lokal. Wenn Sie sich etwas vorbeugen, können Sie die beiden durch die Scheibe sehen, oben an einer kleinen Säule, die beiden Figuren."

„Ja, jetzt kann ich sie sehen. Woraus sind sie? Aus Holz?"

„Ich glaub, ja."

Ich lachte.

„Warum lachen Sie? Haben Sie einen besonders wohlklingenden Fluch auf der Zunge?"

„Nein, nein. Ich muß nur an einen lustigen Film denken, den die Amerikaner vor ein paar Jahren hier in Paris gedreht haben. Mehrere Szenen sollten im Deux Magots spielen. Die einfallsreichen Filmleute haben das Ladenschild völlig übersehen, dafür aber eine Theke reingestellt. Sah aus wie bei Dupont. Eine Theke im Deux Magots! Stellen Sie sich das mal vor!"

„Wie hieß der Film?"

„*Der Mann vom Eiffelturm* nach einem Roman von... Ach nein! Das ist ja zum Totlachen! Ich komm irgendwie immer wieder auf diesen verfluchten Fall zurück. Der Roman hieß *Der Kopf eines Mannes*, von Simenon. Bernard Lebailly hat ihn neulich gelesen... als er noch lesen konnte."

„Oh, Scheiße!" rief Hélène.

„Wie bitte?"

Sie wurde feuerrot.

„...oh, nichts... 'tschuldigung... ich meinte..." stotterte sie verlegen. „Also, apropos Lebailly... Offensichtlich kriegt Ihr Kopf was drauf, und meiner setzt aus. Hab wieder was vergessen... apropos Lebailly... oder eigentlich Ihr Witwer, der Mann mit den traurigen Augen..."

„Brandonnel?" rief ich. „Der Flic, der umgebracht worden ist? Was ist damit?"

„Auf Ihren Befehl hin hab ich die Zeitungen nach Berichten

über ihn durchsucht. Find ich zwar überflüssig, aber als Ihre Sekretärin ...“

„Sparen Sie sich Ihre Kommentare. Also, was ist?“

„In einer der Zeitungen – ich weiß nicht mehr, in welcher ... liegt im Büro – ist die Rede von einem merkwürdigen Telefonanruf, den der Inspektor erhalten hat. Von einem Spitzel, wird angenommen. Am ... sieh mal an: an dem Tag, als Sie ihn in der Rue des Quatres-Vents überrascht haben. Also, der Anruf soll ihn sehr nervös gemacht haben ... von einer Verabredung wurde gesprochen ...“

„Ist nicht viel wert, wissen Sie ...“

Hélène wurde wieder rot.

„... ist kein Pfifferling wert, Ihre Information. Nichts Neues für mich. Lebailly hatte sein Namensschild an der Wohnungstür angebracht, weil er jemanden erwartete. Hab immer vermutet, daß er ’ne Verabredung mit dem Flic hatte. Der kommt auch ... und tötet ihn. Wenn Sie mir sagen könnten, weshalb ...? Können Sie mir sagen, weshalb, mein Engel?“

„Ich kann Ihnen nur sagen, daß der Inspektor seit dem Anruf nicht mehr derselbe war – schreiben jedenfalls die Zeitungen. Sie fragen sich sogar, ob er sein tragisches Ende nicht freiwillig gesucht hat. Das wär’s.“

„Freiwillig gesucht ...“

Irgendetwas stimmte da nicht, irgendwo. Aber was? Fragen alleine reicht nicht. Man muß auch die Antwort finden. Ich dachte, ich hätte mich von meinem K.o.-Schlag vollständig erholt. So kann man sich irren. Mein Kopf arbeitete immer noch nicht wie gewohnt. Sonst hätte ich zu diesem Zeitpunkt das Geheimnis K.o. geschlagen. Indem ich einfach zwei und zwei zusammengezählt hätte. Und dazu noch eine kleine Gedächtnisanstrengung. Aber in meinem armen kleinen Kopf ging’s eben noch nicht so richtig rund, wie Odette Laure singt.

10.
Miß Müll verschwindet

Am Freitagmorgen schlief ich wie ein Glöckner, als das Läuten des Telefons mich weckte. Meine Uhr zeigte kurz nach zehn.

Ich war mit dem gestrigen Abend ganz und gar nicht zufrieden. Hélène und ich hatten zuerst in der Rue Jacob gegessen, im *Restaurant der Mörder*, und waren danach in den Club de la Botte-Rouge gegangen. Dort warfen wir unser Geld völlig überflüssigerweise zum Fenster raus. Ein Nachtclub wie alle andern, nur daß er sich nicht im Keller, sondern im Erdgeschoß befand. Ansonsten atmete man den gleichen Rauch ein, drängte sich neben die gleiche bunte Gesellschaft, kriegte genausowenig Luft und hörte dieselbe Musik wie überall. Das einzige, was man vielleicht nicht überall zu sehen und zu hören bekam, war dieser Posaunist, ein einäugiger Neger, der das tote Auge mit einem kanariengelben Stück Stoff verdeckte. Sehr originell und geschmackvoll. Vergleichbar mit dem rotvioletten Auto des Boxers Ray Sugar Robinson. Aber ich hätte eigentlich lieber meinen Roland Gilles gesehen. Fehlanzeige. Nicht mal der Schatten seines Schattens zeigte sich. Die Streichhölzer waren kein Wegweiser. Nein, ich war nicht zufrieden mit dem Abend.

Und jetzt weckte mich das Telefon.

Am andern Ende der Strippe meldete sich Degivry, ein flüchtiger Bekannter von mir.

„Sind Sie überlastet?“ fragte er mich. „Die Sache, die ich Ihnen anbieten soll, ist so belanglos, daß ...“

„Nur zu“, unterbrach ich ihn.

Ich kenne den Vogel. Um zu sagen „Es regnet“, läßt er einen vollständigen Wetterbericht vom Stapel.

„Gut. Na ja, also ... Ich kenne eine Dame, die eine andere

kennt, und die kennt wiederum eine dritte ..."

Drei Minuten später – eine für jede Dame – wußte ich so ungefähr, worum's ging. Und dafür drei Minuten! Ein Mann, der von Berufs wegen Autorität hatte, sollte für eine Frau, die anscheinend selbst keine hatte, eine Nicht, die sich angeblich an Orten des Lasters rumtrieb, in den Schoß der Familie zurückbringen.

„... Sie haben sogar von Orten der Verdammnis gesprochen", kommentierte Degrivry.

Und dann war mein Name gefallen.

„... Das war eigenartig. Eine der Damen sagte: ‚Kennen Sie den Magier Burma?' – ‚Ja, das ist ein Fakir.' Und eine der beiden sagte dann zu der, die ich kenne: ‚Der Magier Burma, der Fakir ...' So ganz beiläufig. Und die Dame, die ich kenne, sagte darauf: ‚Der Magier Burma ist Privatdetektiv'."

„Die Frau ist schwer in Ordnung", bemerkte ich. „Eine Schmeichlerin. Sie müssen sie mir vorstellen. Und zwar bald."

Er lachte:

„Ja, wirklich, es wird höchste Zeit. Letzten Monat ist sie fünfundsiebzig geworden."

„Fahren Sie fort, bitte."

„Na ja, das ist schon alles. Die Dame, dich ich kenne, hat gesagt, daß sie mich kennt und daß ich Sie kenne. Und jetzt soll ich Ihnen den Auftrag anbieten."

„Was oder wer ist denn nun tatsächlich gefragt? Ein Fakir oder ein Privatdetektiv?"

„Erst war die Rede von einem Fakir. Aber jetzt ist es doch wohl eher ein Privatdetektiv ... Dann nehmen Sie mal Füller und Notizblock und notieren Sie sich Namen, Adresse und sonstige Informationen, falls nötig. Mademoiselle – das ist nämlich ein Fräulein; vertun Sie sich bloß nicht, diese späten Mädchen sind empfindlich wie Mimosen – also, Mademoiselle Julie Caprond, Rue Blaise-Desgoffe ..."

Nehmen Sie einen Füller! Denkste! Um mir Notizen zu machen über einen Fall, den ich garantiert nicht übernehmen wollte. Und dafür machte mich dieser Schwätzer wach!

„... mit d am Ende. Aber das ist unwichtig. Eigennamen haben ihre eigene Schreibweise."

Ich fragte:

„Welcher Name hat ein d?"

Ich hielt den Hörer leicht verkrampft in der Hand. Irgendetwas bahnte sich einen Weg in meinen Kopf.

„Der des Fräuleins."

„Sagen Sie ihn nochmal?"

„Caprond. Mademoiselle Julie Caprond. Julie wie Julie und Caprond..."

Er fing tatsächlich an, den Namen zu buchstabieren.

„Moment mal."

Ich legte den Hörer vor mich auf die Bettdecke. Caprond. Mit d. Julie Caprond. Ich kannte eine. Aber keine Julie. Und so richtig kannte ich sie auch nicht. Hatte nur irgendwo diesen Namen gelesen. Ich sprang aus dem Bett und begann, in den Zeitungen zu wühlen, die sich in einer Ecke stapelten. *Samedi-Soir, France-Dimanche*. Caprond... Catherine Caprond... Taxi... Miß Müll.

Ich nahm den Hörer wieder in die Hand.

„Hallo, Digivry?"

„Ja?"

„Ich übernehm den Fall."

„Danke."

„Sie soll verschwunden sein?"

„Wer?"

„Die Nichte."

„Aber nein. Sie treibt sich nur rum. Für diese alte Damen sind das gleich Orte, wo man für immer verschwindet. Es gibt Leute, die wissen nicht, wovon sie reden."

„Ja, ja, solche Leute gibt es."

* * *

„... Ich hab sie ordentlich abgekanzelt. Vielleicht war ich zu streng. Ich weiß es nicht. Immerhin! Miß... Miß Müll! Konnte ich denn so etwas Abscheuliches durchgehen lassen?"

Eine biedere alte Dame, unglücklich und voller Angst. Zwischen sechzig und siebzig, nach den Falten zu urteilen, den weißen, ordentlich frisierten Haaren und den tränenförmigen Ohrringen. Richtige Tränen schimmerten in ihren Augenwinkeln.

„... Ihre Eltern ... mein Bruder Henri und seine Frau ... sind 1943 ums Leben gekommen, bei einem Bombenangriff. Mein Bruder war sehr viel jünger als ich. Fünfzehn Jahre. Catherine war damals acht Jahre alt. Ich war die einzige Angehörige. Die einzige jedenfalls, die sie ernähren konnte. Ich hab sie bei mir aufgenommen, sie erzogen. Als sie Schauspielerin werden wollte, war ich zwar nicht eben begeistert, aber, na ja, ich hab nachgegeben ..."

Mademoiselle Julie Caprond war offenbar bestrebt, in der Zeit zu leben, als sie zwanzig war. Der Salon stand voll mit Möbeln der Jahrhundertwende. Auf einem Buffet lagen, wie etwas Unanständiges, die Sensationsblätter mit dem Gesicht – und dem Rest – der kleinen Taxi, „Miß Müll".

„... Ich hätte es nicht erlauben sollen. Ich habe ihr alle Freiheiten gelassen. Manchmal ist sie sehr spät nach Hause gekommen, aber ich wußte doch nicht ... Und dann diese abscheulichen Zeitungen mit dieser skandalösen Wahl zur Miß ... Miß ... Müll! Wie scheußlich! Und diese Fotos ... Wie schamlos! ... dieses Dekolleté ..."

Durch die Musselingardinen hindurch sah man an der Ecke Rue Blaise-Desgoffe und Rue de Rennes das Félix-Potin-Haus mit seinem flaschenförmigen Glockenturm. Ich bekam plötzlich Durst. Aber hier in diesem Haus gab's wohl nichts für meine trockene Kehle. Überhaupt gab's in diesem Haus nicht viel. Möbel der Jahrhundertwende, trotz der sicherlich gründlichen Pflege verstaubt. Der Staub war unsichtbar, moralischer Natur. Dazu eine alte Jungfer, nett und alles, aber eben hoffnungslos altmodisch. Nichts, was ein Mädchen wie Taxi fesseln und zu Hause halten konnte.

„Sie werden sie mir wieder zurückbringen, nicht wahr, Monsieur? Sie werden sie mir schnell wieder zurückbringen."

„Natürlich", sagte ich.

„Ich weiß, das das für Sie kein richtiger Auftrag ist. Ich

meine... Entschuldigen Sie, aber ich habe Informationen über Sie bekommen... natürlich ohne mich darum zu bemühen! Von Madame Portier, die diesen Monsieur Degivry kennt. Ich habe also erfahren, daß Ihre Aufträge normalerweise komplizierter sind, ernster und... lukrativer. Aber sagen Sie selbst: in meinem Alter kann ich doch nicht unauffällig in diese Lokale gehen, um meine kleine schamlose Nichte nach Hause zu holen, nicht wahr?"

„Ein kleiner, leichter Auftrag wie dieser von Zeit zu Zeit – das mißfällt mir ganz und gar nicht, glauben Sie mir, Mademoiselle."

„Ich danke Ihnen."

„Und ich muß wohl meinerseits dem Fakir Burmah danken, meinem Namensvetter mit h. Wenn Mademoiselle Catherine nicht von ihm gesprochen hätte... denn so sind Sie doch auf mich gekommen, nicht wahr?"

„Das stimmt. Sie hatte einen unruhigen Schlaf. Träumte laut. Sie sagte: ‚Magier Burma... Magier Burma...' oder so ähnlich."

„Haben Sie sie danach gefragt?"

„Als sie wieder wach war?"

„Ja."

„Natürlich. Aber sie konnte sich an nichts erinnern. Jetzt, mit Abstand betrachtet... und da ich sie seit zwei Tagen nicht mehr gesehen habe... Jetzt scheint es mir, daß sie irgendwie Angst hatte..."

„Das empfinden Sie nur so."

„Bestimmt. Na ja, ich hab diesen Träumen keine große Bedeutung beigemessen. Aber nachdem ich sie zurechtgewiesen hatte wegen dieser skandalösen Wahl zur Miß... Miß..."

„Ja. Und diese Zurechtweisung hat Catherine aus dem Haus getrieben?"

„Ja."

„Und daraufhin haben Sie Ihren Bekannten von den Träumen Ihrer Nichte erzählt?"

„Jawohl. Und eine Freundin meinte: ‚Es handelt sich bestimmt um den berühmten Fakir. Ich weiß, daß in Saint-Germain-des-Prés viele bizarre Leute wohnen. Ich denke an eine Liebelei zwischen Catherine und... na ja, vielleicht nicht einem Fakir, aber einem jungen Mann mit diesem Spitznamen... Und dann hörte ich den Namen Burma zum zweiten Mal. Diesmal von Madame Portier. Und jetzt waren Sie damit gemeint... na ja, Sie sind Privatdetektiv. Mir ist das lieber, als wenn die Polizei Catherine zurückbringt. Ich möchte jeden Skandal vermeiden, wenn möglich. Ganz anders als meine Nichte..."

„Ich werd versuchen, Sie nicht zu enttäuschen", sagte ich zum Abschied.

Ganz langsam ging ich die Rue de Rennes hinunter. Diese seltsame Gerade, die auch bei strahlendem Sonnenschein und 35°im Schatten traurig und kalt aussieht. Diese breite Verkehrsader, an der eine Caféterrasse neben der anderen liegen müßte, aber nur ganz wenige zu finden sind. Der böse Fluch trifft immer das Erfreuliche und Gastliche. Das bewahrheitet sich immer wieder. Mireille Trépel und Nico übernahmen die ehemalige Brasserie Lumina (Opfer des Fluches!) und gründeten im Keller das berühmt gewordene *Cabaret La Rose-Rouge*. Aber ihr Versuch, das Straßencafé wieder in Schwung zu bringen, war zum Scheitern verurteilt. Und der unbestreitbare Erfolg des *Rose-Rouge* bringt mich nicht von meiner Idee ab, daß auf der Straße ein Fluch liegt. Vielleicht ist er im Keller nicht mehr wirksam... Ja, eine seltsame Straße. Aber an diesem Freitag, dem 24. Juni, war nicht nur die Rue de Rennes seltsam...

* * *

Ich bog in die Rue Notre-Dame-des-Champs ein und gelangte durch die Rue de Fleurus zur Rue Guynemer, ganz in die Nähe von Germain Saint-Germain. Im Jardin du Luxembourg herrschte ein lärmendes, fröhliches Treiben.

Ich wußte nicht mehr genau, in welcher Etage der Bestsellerautor wohnte. Aber mir gelang es, die Concierge aus ihrer Loge zu locken. Sie war keine von denen, die ihr Leben hinter der Gardine verbringen und jedem hinterherspionieren. Sie gab mir bereitwillig Auskunft. Oben öffnete mir ein Hausangestellter die Tür. Ich hatte ihn schon in der besagten Nacht flüchtig zu Gesicht bekommen. Diskret, reserviert, unauffällig, das Gesicht glattrasiert, der Gesichtsausdruck unmißverständlich: der Blick von jemandem, der in seinem Beruf so einiges zu sehen bekommt. Nichtssagend und doch vielsagend. Ein waschechter Butler eben. Sie sind alle gleich. Weil sie so oft Nachttöpfe leeren, hat sich ihr Blick dem Inhalt angepaßt.

„Ist Monsieur Saint-Germain zu sprechen?" fragte ich. „Mein Name ist Nestor Burma."

Er wolle nachsehen, ich solle warten. Kurz darauf kam er zurück und bat mich, ihm zu folgen.

Der Schriftsteller empfing mich in dem Allzweckzimmer: Filmvorführungen, Saufereien, Tanzen, heftige Wortgefechte. Trotz der fortgeschrittenen Tageszeit war er noch im Pyjama, die bloßen Füße in orientalisch angehauchten Pantoffeln. Sah mehr nach Bergougnoux aus als nach Saint-Germain. Seine weißen Haare lagen nicht in der gewohnten Weise. Unrasiert, Tränensäcke unter den geröteten, wässrigen Augen. Ganz und gar nicht mehr wie aus einem Modejournal entsprungen. Dazu die tausend Fältchen in seinem Gesicht... ein eigenartiges versenktes Relief. Kurz gesagt, der Mann, der angeblich nie trank, hatte kräftig gesoffen. Oder ich hab keine Ahnung von diesen Dingen.

„Entschuldigen Sie", sagte ich. „Ich störe Sie vielleicht gerade bei der Arbeit..."

Auf dem Schreibtisch stand eine Schreibmaschine. Der Boden rundherum war mit zerknülltem Papier übersät. Ich mußte an die Alarmanlage von Charlie Mac Gee denken.

„Nein, ich bin nicht bei der Arbeit", lachte Saint-Germain. „Arbeiten ist dummes Zeug."

„Ganz Ihrer Meinung. Aber leider muß man was zu beißen haben."

„Was bereitet mir die Freude Ihres Besuches?"

„Tja, die Arbeit eben. Bin sozusagen dienstlich hier."

„Dienst ist Schnaps... Möchten Sie was trinken?"

„Gern."

Er zauberte etwas hervor, was nicht nach Mineralwasser aussah, und füllte zwei Gläser.

„Ich dachte, Sie trinken nicht", bemerkte ich.

„Die Gnade hat mich gestreift", erklärte er. „Oder besser gesagt: diese Idioten um mich herum haben doch noch auf mich abgefärbt."

Für jemanden, der das Trinken nicht gewohnt ist, leerte er sein Glas in Rekordzeit.

„Sie sagten, Sie seien dienstlich hier?" fragte er dann.

„Ja. Folgendes: Die Nichte einer sehr ehrbaren Dame treibt sich in den Kellern des Viertels rum. Der Tante paßt das gar nicht. Die Nichte hat die Zurechtweisung schlecht verdaut und kommt zur Strafe überhaupt nicht mehr nach Hause. Mademoiselle ist zu besorgt um ihre Ehre – und außerdem zu alt –, um selbst nach ihrer Nichte zu suchen, im *Cave-Bleue* oder *Botte-Rouge* oder in sonst einem Keller von irgendeiner Farbe. Deshalb hat sie mich damit beauftragt."

„Aha... Und weiter?"

„Sie kennen die Nichte der Tante..."

Mit dem Stierkopf meiner Pfeife zeigte ich auf die Zeitungen, die auf dem Sofa lagen. Immer dieselben Blättchen: *Crépuscule*, *France-Dimanche* usw. usw.

„Catherine Caprond... oder: Taxi, oder: Miß Müll."

Er kniff die Augen zusammen:

„Sagen Sie mal, Burma... Meinen Sie, die Kleine liegt bei mir im Bett?"

„An ein Bett hab ich wohl gedacht, aber nicht an Ihres", stellte ich klar. „Mehr an das Ihres Freundes, des jungen Dichters, der mit dem englischen Pseudonym..."

„Rémy Brandwell?"

„Genau der. Er ist doch der Freund des Mädchens, oder?"

Er sah zur Decke, zuckte die Achseln.

„Ich glaub, die war schon die Freundin von einigen Freunden."

„Mich interessiert nur das letzte Glied in der Kette – wenn ich so sagen darf. Klar, ich brauche nur die Hotels, Bars, Bistros und Keller abzuklappern. Irgendwann kriege ich diese Taxi dann schon zu fassen. Aber ich hab Tantchen versprochen, mich zu beeilen. Und bei dem Geld, das sie mir zahlt, bin ich auch dran interessiert, mich zu beeilen. Ich weiß, daß das Mädchen in Ihren Kreisen... verkehrt. Also bin ich erst mal zu Ihnen gekommen. Hab das Gefühl, daß ich nur die Adresse von Rémy brauche. Finde ich ihn, finde ich sie."

„Hm..."

Er schien nachzudenken. Wieder dieses nervöse Zucken am Augenlid.

„... Tja. Kann sein. Obwohl... in dieser Clique weiß man nie, wer wen grade umlegt... oder ob sie zusammen schlafen oder nur Jazz hören. Hab 'ne Menge Blödsinn über die Jugend von heute gelesen und gehört. Einmal ist sie so, ein andres Mal so, verdorben, unmoralisch... Alles dummes Zeug! Unsere Jugend ist keusch und züchtig, mein Lieber... schrecklich keusch."

„Eben! Gerade weil sie so übertrieben keusch ist, macht sie Scheiß. Und zwar großen Scheiß. Ist mir aber alles egal. Was ich wollte, ist nur die Adresse von Rémy. Haben Sie sie da?"

Er stand auf, so als wäre ihm ganz plötzlich eine Idee gekommen, ging zum Schreibtisch, schnappte sich ein Blatt Papier, hielt einen Füller darüber, machte dann aber eine resignierte Geste und schmiß ihn hin, ohne ein Wort geschrieben zu haben.

„Alles dummes Zeug", brummte er, offensichtlich zur persönlichen Erbauung.

„Sie wollten mir Rémys Adresse aufschreiben", erinnerte ich ihn.

Er sah mich abwesend an.

„Rémys Adresse?... Die hab ich nicht. Sie werden wohl durch die Bars ziehen müssen. Und das vielleicht völlig umsonst, falls Taxi gar nicht mehr in Paris ist. Rémy hab ich seit zwei oder drei Tagen nicht mehr gesehen..."

Einige Bilder drängten sich mir auf. Ich sah Bergougnoux und den jungen Dichter an der Bar im *Cave-Bleue* stehen, zwei dicke Freunde. Dann am Ende der „Vorstellung" hier in der Wohnung. Alle verschwanden, alle waren weg, Rémy blieb. Als einziger...

„Schon kapiert", sagte ich im Tonfall des Schnelldenkers. „Ich kenne seine Adresse. Rue Guynemer. Aber hier wohnt er nicht mehr. Abgehaun ist er, nicht im, aber wahrscheinlich mit Taxi.

Und deswegen saufen Sie sich die Hacken voll, lassen Ihre Würde zum Teufel gehen? Ein Mann mit erlesenen Geschmack? Also wirklich! Scheiße, ich hatte Sie für... robuster gehalten. Vielleicht ist Ihnen Ihre Frau deshalb davongelaufen?"

Schmerzerfüllt verzog sich sein Gesicht.

„Sie irren sich, Burma. Keine Glanzleistung für einen Detektiv. Ich gehöre nicht zu diesen... zu dieser Kategorie. Und was meine Frau betrifft... Sie hat das Haus verlassen, weil..."

Er schlug mit der Faust auf die Sessellehne.

„Das geht Sie überhaupt nichts an!"

„Stimmt. Aber... was Rémy betrifft..."

„Ja, er hat hier gewohnt. Wenn er grad nichts anderes hatte. Alles Vagabunden, Parasiten, Scheißkerle. Ich gehör nicht zu dieser Clique. Großer Gott! Ich fang an, die ganze Saubande zu bedauern..."

Er legte die Hände an seine Wangen, so als wollte er sich kratzen. Die sprießenden Bartstoppeln knirschten. Die Hände des Bestsellerautors waren schmutziggrau, wie Hände nach einer durchzechten Nacht eben sind. Er schüttelte sich, goß sich nach, trank.

„... Diese Jungen haben ein seltsames Benehmen", fuhr er dann fort. „Ich bin alleine. Sie provozieren mich. Ich trinke, weil ich Angst habe, ihnen nicht gewachsen zu sein..."

„... und auch", fiel ich ihm ins Wort, „entgegen Ihrer Theorie..." – ich zeigte mit dem Kinn auf das zerknüllte Papier – „... um Ihrem Talent auf die Sprünge zu helfen."

„Ich werde mich nicht kleinkriegen lassen", beharrte er. „Ich bin der Autor von..."

Er richtete sich auf. Seine Augen blitzten.

„... dem außergewöhnlichen Bestseller *Nur eine Viertelstunde für die Liebe*. Ich..."

„Ich weiß", unterbrach ich ihn wieder. „1500 Seiten. 1500 Francs, Schutzumschlag, Foto, Vierfarbdruck. Überall zu haben. Ich pfeif drauf. Bin ich Literaturkritiker? Nein. Ich muß diese Taxi an den heimischen Herd ihrer Tante zurückbringen. Sie wissen nicht, wo ich sie finden kann?"

„Nein ... ich weiß es nicht."
Er schüttelte bekräftigend den Künstlerkopf.
„Sie müssen entschuldigen, Burma ..."
Allmählich wurde er wieder ruhiger.
„... Meine Arbeit läuft nicht so, wie ich's mir vorstelle. Das macht mich nervös."
„Schon gut. Ich kann sie verstehn. Und Rémy? Wo steckt der?"
„Auch das weiß ich nicht."
„Und Sie wissen auch nicht, wo Taxi sonst ..."
„Also, wenn Sie wollen, können sie die gesamte Clique abklappern. Und hinterher noch unseren Freund Martin Burnet."
„Tintin? Warum den?"
„Warum nicht? Den oder irgendeinen andern. Er hat mit ihr geschlafen. Da bin ich ganz sicher. Weil ... Ich habe eben von der keuschen Jugend gesprochen. Tintin ist genau das Gegenteil. Er schläft mit jeder. Manchmal sogar mit Filmstars."
„Aber bevor sie berühmt sind", präzisierte ich. „Suzy Desmoulins war völlig unbekannt, als er's mit ihr hatte."
„Aber jetzt ist sie berühmt. Haben Sie gelesen? Sie hat schon wieder irgendeine Palme gewonnen."
Er nahm eine Zeitung vom Sofa und las laut vor:
„Erster Preis in Toledano für die beste weibliche Hauptrolle ... Also wirklich, die Preise werden nur noch für sie gemacht."
Er zuckte die Achseln, warf die Zeitung wieder zu den andern.
„Tja. Werd jetzt mal gehen", sagte ich. „Vielleicht besuch ich tatsächlich Tintin. Den oder irgendeinen andern. Wie Sie schon so richtig sagten ... Wissen Sie vielleicht so ungefähr, wo ich ihn finden kann?"
„Nach dem, was ich zuletzt gehört habe, wohnt er im Texas-Hôtel, Rue de Seine. Aber ich garantiere für nichts."
„Also dann: auf Wiedersehen."
Er brachte mich zur Tür.
„Sie müssen mich entschuldigen", sagte er nochmal.
Sein Pyjama war zerknittert, genauso wie sein Gesicht. Seine Zähne waren zwar strahlend weiß, aber für frischen Atem hätte er noch was tun müssen ...

11.
Miß Müll taucht wieder auf

Das Texas-Hôtel erinnerte nur von weitem ans Lutétia. Von sehr weitem. Auch die ersten beiden Etagen konnten einen täuschen. Verhältnismäßig saubere Korridore mit einem ziemlich ordentlichen Läufer. In der dritten aber, dort wo mein alter Freund Tintin hauste, roch es höchst abenteuerlich. Unter anderem nach kaltem Tabak. Zimmer Nr. 33. Ich klopfte an.

„Herein", knurrte die Stimme von Martin.

Er saß an einem kleinen Tisch, Zigarette im Hals. Auch er sah zerknittert aus. Lag wohl am Tag.

„Salut, altes Haus", begrüßte ich ihn.

Er sah hoch, fluchte, sprang vom Stuhl auf, riß seine Jacke von einem Nagel und warf sie über den Tisch. Ich sollte offenbar nicht sehen, was er sich gerade angesehen hatte. Dann ergriff er meine Hand.

„Burma!" säuselte er hocherfreut. „Ich... Salut, salut!... Ich dachte, es wär die Putzfrau. Alle Jubeljahre macht sie hier die Bude sauber... Aber setz dich doch", fügte er hinzu und ließ endlich meine Hand los.

Er bot mir einen Platz auf seinem Bett an. Ungemacht, ein heilloses Durcheinander. Wartete wohl auf das nächste Jubeljahr. Tintin rückte seinen Stuhl zwischen Tisch und Bett und setzte sich ebenfalls. Das Bett stöhnte unter meinem Gewicht. Eine hinterhältige Feder bohrte sich mir in den Hintern.

Ich sah mich im Zimmer um.

Dreckige Handtücher auf dem Waschbecken, ein paar Bücher auf einem Regal, an der Wand, mit Heftzwecken befestigt, eine Zeichnung von Tintin und ein Foto von Suzy Desmoulins, als sie noch nicht die Desmoulins war.

Tintin lachte:
„Da staunst du Bauklötze, was? Bist du hergekommen, um mein Zimmer zu bestaunen, Nestor?"
Ich zuckte die Achseln.
„Jeder gestaltet sein Leben so, wie er's für richtig hält... Ich bin hergekommen, um dich was zu fragen."
„Bin ganz Ohr."
„Tja, also..."
Ich zeigte auf die Jacke.
„... Kannst du mir mal zeigen, was du darunter versteckst?"
„Jeder gestaltet sein Leben so, wie er's für richtig hält", zitierte er mich lächelnd. „Was geht dich das wohl an?"
Ich lächelte so freundlich wie möglich zurück.
„Bin von Natur aus neugierig."
„Neugierig? Tja, hast eben 'n neugierigen Beruf, hm?"
„Aber, hör mal, Tintin! wir zwei waren doch mal Freunde. Haben wir das Versteckspiel nötig? Wenn du mir das nicht zeigst, stell ich mir noch wer weiß was vor."
„Meinetwegen kannst du dir vorstellen, was du willst."
Ich stand auf. Er auch. Tat so, als wollte er mir den Weg zum Tisch versperren. Dann aber sagte er mit bitterem Lächeln und dreckiger Stimme:
„Guck's dir nur an, da! Ich versteck nämlich Leichen. Wie deine Klienten."
Er riß die Jacke vom Tisch und pfefferte sie wütend in Richtung Waschbecken. Sie landete auf einem Papierkorb, dessen Aufgabenbereich in diesem schmutzstarrenden Zimmer nicht ganz klar war. Jedenfalls stand er da. Aus Gewohnheit. Aber durch den Schwung der Jacke kippte er um. Ein schwerer Gegenstand, wahrscheinlich in einer der Jackentaschen, fiel geräuschvoll zu Boden.
Auf dem Tisch lag ausgebreitet die neueste Ausgabe der Zeitung, die Saint-Germain mir schon gezeigt hatte. Erster Preis auf dem Festival von Toledano für die beste weibliche Hauptrolle. Neben der Zeitung lag noch allerhand auf dem Tisch: Briefe, Zeitungsausschnitte, Fotos verschiedenen Formats. Auf den älteren Fotos waren Suzy und Tintin zusammen zu sehen.

„Schöne Sammlung", stellte ich fest. „Soll ich dir 'n Hammer besorgen?"

„Jeder gestaltet sein Leben so, wie er's für richtig hält", wiederholte er nochmal. „Ja, eine schöne Sammlung. Hab's mir gerade zum letzten Mal angesehen, als du reinkamst. Ich glaub, ich werd das ganze Zeug verbrennen. Steckt 'ne Menge Geld drin, aber ich werd's wohl verbrennen."

„Geld?"

Diese Suzy schlug ihm wirklich aufs Gemüt. Geld, in diesen albernen Reliquien? Wog noch nicht mal 'n Schiß.

„Ich weiß, wovon ich rede", sagte Tintin.

„Ich weiß vor allem, daß du immer tiefer sinkst, während sie immer höher steigt... du zwingst dich direkt dazu. Wie 'ne Seilbahn."

Er spuckte die Kippe aus.

„Komm mir nicht auch nocht damit! Hab die Schnauze voll von Analytikern."

„Das war keine Analyse. Nur die Feststellung von Tatsachen. Ein Jammer, wie du das Drama von Mama Cadum spielst, nur umgekehrt."

„Mama Cadum?"

„Kennst du die Geschichte nicht? Der kleine Cadum, der für die berühmten Plakate Modell gestanden hatte, war gestorben. Angeblich soll seine Mutter seitdem nie mehr ihre Wohnung verlassen haben. Und überall lagen die Fotos des Kleinen. Du dagegen mußt dein Zimmer verlassen. Unbedingt... Ach, ist mir doch scheißegal. Jeder gestaltet sein Leben... verdammt nochmal, jetzt reicht's! Scheint ja ein toller Satz zu sein, daß wir uns den immer wieder vorsagen..."

„Ja, toll", stimmte er mir zu.

Er öffnete die Tischschublade und warf seinen sentimentalen Quatsch hinein. Dann wechselte er das Thema:

„Du wolltest mich was fragen? Was denn?"

„Ich soll Taxi nach Hause holen, die frischgebackene Miß Müll. Ihre Tante weint sich die Augen aus. Taxi ist von zu Hause abgehaun..."

Ich ging zum Fenster, warf einen Blick nach draußen. Dann drehte ich mich wieder zu Tintin um. Er saß auf dem Bett. Ich berührte mit meinem Fuß die Jacke, die immer noch auf dem Boden lag. Der Papierkorb darunter beulte sie aus, so daß man unwillkürlich an einen menschlichen Rumpf denken mußte. Sehr unangenehm.

„... Bergougnoux-Saint-Germain, der Schriftsteller ...“ begann ich zu erklären.

„Diese Drecksau“, warf Tintin ein.

„... hat mir erzählt, daß du mal ihr Geliebter warst und ...“

Er lacht schallend.

„So, hat er das erzählt? Was soll ich gewesen sein? Ich kenne Taxi, stimmt. Aber ich hab nie mit ihr geschlafen. Jetzt erfindet er also schon Geschichten?“ Wieder lachte er laut auf. „... Der schreibt noch 'n Buch drüber!“

„Du kennst Taxi also. Gut. Weißt du zufällig, wo sie rumhängt? Keine Idee, wo ich sie aufgabeln könnte? Saint-Germain konnte mir nicht weiterhelfen. Er war allerdings leicht wegetreten ... Also, du hast sie nicht gesehen, so gestern oder vorgestern, auf der Suche nach einem warmen Plätzchen?“

„Sie ist bestimmt bei ihren dreckigen Negern.“

„Ihren dreckigen Negern?“

Sein Gesichtsausdruck wurde hart.

„Hab mich verändert, was? Nicht wiederzuerkennen. Früher hab ich nicht so geredet, hm? Was soll's? Man verändert sich. Neger mag ich nicht mehr. Ein Farbiger von Martinique hat mir Suzy weggeschnappt. Und seitdem ... bin 'n richtiger Rassist geworden.“

Ich lächelte ihn an.

„Sag mal: Im Diderot-Hôtel ist neulich einer umgebracht worden. Das warst du doch hoffentlich nicht?“

Er sah mich seltsam an.

„Hm ... Monsieur Flic, was? Interessierst du dich für die Geschichte?“

„Ich les hin und wieder mal Zeitung.“

„Nein, ich hab Charlie Mac Gee nicht um die Ecke gebracht.“

„Schön. Also, Taxi und ihre Neger... Hat sie 'ne Schwäche für Neger?"
Er hob die Hand.
„Hab ich nicht gesagt. Aber ich hab sie neulich mit Mickey gesehen, in der Rue Dauphine. Mickey mit dem gelben Veilchen."
„Wer ist das denn?... Hör mal, wenn du auch einen so wenig stilvollen Kleiderhaken hast, brauchst du deine Jacke trotzdem nicht so rumliegen zu lassen..."
Ich bückte mich und nahm das gute Stück, wobei ich das Ding befühlen konnte. Das schwere, harte Ding, das eben so geräuschvoll auf den Boden gefallen war. Hatte ich's mir doch gedacht! Kommentarlos reichte ich Martin die Jacke. Er legte sie aufs Bett.
„Also, wer ist dieser Mickey?" fragte ich nochmal nach.
„Ein Posaunist aus der alten Truppe von Big Shot Mosey... Ach ja! Da hat Mac Gee selig ja als *drummer* gespielt."
Ich lachte etwas nervös.
„Für einen, der keine Neger mag... Glückwunsch! Du kennst alle mit Namen, Donnerwetter! Und kannst sie auch noch unterscheiden. Alle Achtung!"
„Hab mich damals eben für Jazz interessiert. Jetzt find ich's zum Kotzen. Mickey wiederzuerkennen, ist kein Kunststück. Mickey mit dem gelben Veilchen. Heißt so, weil er's besonders chic findet, sich einen gelben Fetzen über sein totes Auge zu hängen. Diese Kerle, also wirklich!"
Ich zuckte zurück.
„Ein gelber Stoffetzen? Der ist doch jetzt Posaunist im *Botte-Rouge*!"
„Genau. Kennst du ihn?"
„Ich kenn den Jazzkeller."
„Na ja, da in der Gegend wirst du die Taxi bestimmt finden. Fast die ganze Gesellschaft vom *Botte-Rouge* wohnt in dem Haus neben dem Club. Gehört ihm. Dem Club."
„Danke. Hab gut dran getan, auf Saint-Germain zu hören und zu dir zu gehen. So'n schlechter Tip war das gar nicht. Nochmals vielen Dank, mein Lieber!"

„Keine Ursache."

Er stand auf. Ich öffnete die Zimmertür. Wir gaben uns die Hand. Schlechte Aussichten für ein glückliches Wiedersehen.

„Salut, Tintin", sagte ich zu ihm. „Und hör endlich auf damit: Suzys Erfolg und dein Scheitern. Bei deinen düsteren Gedanken kocht dir noch das Hirn über! Und eins wirst du bestimmt hinkriegen: 'ne Riesendummheit. An deiner Stelle würd ich erst mal den Revolver wegschmeißen!"

* * *

Der Autolärm vom Quai de Conti verhallte unter dem Torbogen zur Rue de Nevers. Eine ruhige, friedliche Straße wie aus einer vergangenen Zeit, menschenleer. Nur ein Hund schnupperte unten an der Tür des Club de la Botte-Rouge. Einer seiner Artgenossen hatte seine feuchte Spur hinterlassen. Als ich näherkam, zog er mit eingeklemmtem Schwanz ab, gewohnt, sich vor den Menschen in acht zu nehmen. Still und friedlich, nur gedämpfte Geräusche aus der Buchbinderei. Still, friedlich, heimelig trotz der abweisenden Häuserfassaden, hinter denen man sich kaum Menschen vorstellen konnte. Die Stille wurde plötzlich von schrillen Radioklängen zerrissen, die aber sofort wieder verstummten. Ein ruhiges Alltagsleben, still und friedlich.

Eine Stelle, wo ich hätte Posten beziehen können, ohne gesehen zu werden, gab es hier nicht. Also mußte ich den Stier bei den Hörnern packen und in das Mietshaus mit den vielen möblierten Zimmern gehen. Elektrizität und Strom auf allen Etagen. Immer der Nase nach. Schon seltsam, daß Taxi mit Mickey gesehen worden war, dem Posaunisten aus dem *Botte-Rouge* (und höchstwahrscheinlich auch ein Freund von Charlie Mac Gee, mit dem er ja bei Big Shot Mosey zusammen gespielt hatte). Roland Gilles, der dicke Freund des verblichenen Schwarzen, hatte mich durch seine Streichhölzer ebenfalls in diese Straße gelockt. Das verlangte eine genauere Prüfung.

Ich wagte mich also in den düsteren Hausflur. Die Kellertür unter der Treppe stand sperrangelweit auf. Eine schwache Birne beleuchtete die ausgetretene Kellertreppe. Von unten hörte ich

Stimmengemurmel. Verstehen konnte ich nichts; aber einer von ihnen hatte einen heftigen schwarzen Akzent. Auch der Sprecher selbst war heftig. Hörte sich wirklich nicht zufrieden an. Die Stimmen kamen näher, stiegen wieder an die Oberfläche. Jemand fluchte. Sehr folkloristisch, auch das mit einem heftigen Akzent, aber nicht schwarz. Südfranzösisch, sehr deutlich.

Es ist immer besser, viel zu sehen, ohne gesehen zu werden. Ich hielt in aller Eile nach einem Versteck Ausschau. Eine Abstellkammer bot sich an, voll mit Besen und Mülleimern. Na ja, Hauptsache, ich wurde nicht gesehen... Hören würde ich bestimmt alles, falls es was zu hören gab; aber mit dem Sehen war's so'ne Sache. Die Kerle kamen hoch. Das Licht wurde ausgeknipst, die Tür zugezogen. Sie schabte über den Boden.

„Scheiße... Scheiße", schimpfte der Schwarze. „Hast uns da in schön Scheiße gessogen. Müssen loswerden, schnell wie möglich. Schön Scheiße. Hast dich nicht in Gewalt."

„Jetzt reicht's aber", sagte der andere, der mit dem südfranzösischen Akzent. „Wie lange quatscht du mir das jetzt schon vor? Reicht so langsam."

„Ja, so langsam reicht. Na ja, scheißegal. Ssiemlich. Heute abend ich hau ab. Nach so Sauerei ich hau ab!"

„Sag mal, hast du gut abgeschlossen?"

„Ja, aber ich kann nicht ssweite Schloß oder Riegel vor."

„Wird schon keiner nachsehen."

„Hoffentlich."

Noch ein paar Sätze, völlig unverständlich für den armen Nestor. Dann gingen sie auseinander. Der Schwarze stieg schimpfend die Treppe hinauf. Irgendwo im Haus wurde eine Tür zugeknallt. Ich trennte mich von meinen Besen und verließ das Haus. Weder unter dem Torbogen noch in Richtung Rue de Nesles war eine vertraute Gestalt – nämlich die von Roland Gilles – zu sehen. Ich hatte ihm eine zu lange Leine gelassen. Ohne Ergebnis strich ich noch ein wenig in der Gegend rum. Dann kaufte ich in der Rue Dauphine eine Taschenlampe und ging wieder zurück.

Mein Weg führte hinunter in den Keller. Niemand hinderte mich daran. Unten war es schmierig feucht. Früher hatte wohl zu jeder Wohnung ein Kellerraum gehört, wie allgemein üblich. Aber seitdem das Haus dem Club nebenan gehörte, diente der Keller beinahe ausschließlich dazu, den Kram für den Club aufzubewahren. Die Zwischenwände waren rausgebrochen worden, so daß mehrere Räume jetzt ein einziger großer Keller waren. Nur ein kleiner Raum war davon abgetrennt. Vielleicht war das der, den ich suchte. Ich richtete den Schein meiner Taschenlampe durch die Lattentür mit den vielen Spinnweben, konnte aber nichts Besonderes erkennen. Also untersuchte ich das Vorhängeschloß. Eine Haarnadel wäre spielend damit fertiggeworden. Kein Problem für meinen Spezial-Pfeifenreiniger. Ich ging hinein, schloß die Tür hinter mir und machte mich an die Kellerdurchsuchung.

Hinten links stand ein Flaschenständer mit leeren Flaschen. Neben einem Kohlehaufen wartete ein Stapel kaputter Stühle auf den Winter. Dann sah ich noch zwei ausrangierte Mülleimer, die von unbeschreiblichem Plunder überquollen. Offenbar sollten sie ihre Tage in scheinbarer Aktivität beschließen. Zwischen den Mülleimern lag ein Jutesack auf der gestampften Erde. Ziemlich prall gefüllt. Ich ging hin, stolperte über ein Stück Draht und fiel auf den Sack. Die Taschenlampe flog auf eine leere Flasche. Scherben. Das Herz schlug mir bis zum Hals. Ich vergaß sogar zu fluchen. Bewegungslos lag ich auf dem Sack, wagte nicht zu atmen, biß die Zähne zusammen. Die Kehle war mir wie zugeschnürt. Hoffentlich hatte keiner was gehört. Ich hoffte und wünschte 'ne ganze Menge. Nach einer Weile richtete ich mich auf, riß ein Streichholz an und machte mich auf die Suche nach der Taschenlampe. Sie lag mitten in den Glasscherben. Ich probierte sie aus. Sie funktionierte noch. Ich hängte sie an einen Haken, an dem schon ein Rad hing. Dann richtete ich den Lichtkegel aus und betastete den Sack. Ich konnte mich nicht recht entschließen. Aber dann holte ich mein Messer raus und schlitzte ihn auf.

Still und friedlich, diese Rue de Nevers. Der Turm von Marguerite de Bourgogne. In einem Jutesack, wie Buridan. Zwischen zwei Mülleimern. Würdige Brautjungfern für Miß Müll. Taxi! Einsteigen!

Ihr hübsches Gesichtchen drückte unsägliches Leiden aus. Ihre langen blonden Haare waren blutverklebt. Sie war nicht erstochen worden, auch nicht mit Blei vollgepumpt. Sie hatte nur einen unglücklichen Schlag abgekriegt, neben mehreren anderen. Und da es nicht in Frage gekommen war, einen Arzt zu rufen, war sie an den Folgen gestorben. Sie bringen sie mir zurück, nicht wahr? Sie bringen sie mir schnell zurück. Ja, Mademoiselle Julie. Nestor Burma ist schnell, wenn er nicht grade langsam ist. Um dann solche Entdeckungen zu machen! Hätte viel dafür gegeben, wenn er jetzt auf der Terrasse des Flore säße und Pascal und Boubal dämliche Fragen stellen könnte. Aber nein, er mußte ja schnell...

Ich ging hinaus, machte Tür und Vorhängeschloß wieder ordentlich zu, ging nach oben, verließ das Haus. Niemand begegnete mir. Auf der Rue de Nevers herrschte Ruhe und Frieden. Wie aus einer vergangenen Zeit. Menschenleer. Der Autolärm vom Quai de Conti verhallte unter dem Torbogen.

12.
Der Keller des ersten Kummers

Ich verspürte ein riesiges Verlangen, alleine zu sein. Ich ging nach Hause, setzte mich in einen Sessel, zündete mir eine Pfeife an und stellte eine Flasche Panthermilch vor meine Nase. Davon wollte ich mir ordentlich was genehmigen. *Heut abend ich hau ab*, hatte der Schwarze gesagt. Sollte er ruhig abhauen. Aber wenn Roland Gilles merkte, daß jemand an dem grausigen Paket rumgefummelt hatte, würde er ebenfalls verduften. Im Augenblick...

Ich war nahe daran zu wünschen, daß man die Leiche des armen Mädchens nie finden werde. Nicht damit die Täter ungestraft davonkamen, sondern wegen der Tante, der netten alten Jungfer. Mademoiselle Julie glaubte doch tatsächlich, daß ihre Nichte bis ans Ende der Welt gegangen war, um die große Liebe mit einem Märchenprinzen oder einem Fakir zu finden... Fakir Burmah. Zum Totlachen! Magier Burma. Jetzt kapierte ich so langsam, welche Worte die Kleine in ihren Alpträumen von sich gegeben hatte. Mac Gee... Magier... der tote Mac Gee... und Burma. Nestor Burma, der in der Todesnacht des Schwarzen in dieses Viertel gekommen war. Nestor Burma, von dem bekannt war, daß er sich für den Mord interessierte... Und Taxi hatte bestimmt seinen Namen irgendwo gehört...

Also, von mir würde Mademoiselle Julie Caprond nichts über das traurige Schicksal ihrer Nichte erfahren. Ich würde ihr irgendein Lügenmärchen auftischen und den Auftrag zurückgeben. Und dann würde ich mit den andern abrechnen, mit allen andern. Die sollten mir für den Tod der unglücklichen Blonden bezahlen. Bestimmt hatte Roland Gilles ihr den tödlichen Schlag beigebracht ... aber der Schlag kam von weiter weg, von sehr viel weiter weg ...

Das Telefon riß mich aus meinen Träumereien.

„Ah! Sie sind da", meldete sich Hélène. „Hab auf gut Glück angerufen. Hier ist ein dringender Rohrpostbrief für Sie. Ich les ihn mal vor."

„Von wem?"

„Mademoiselle Julie Caprond, Rue Blaise-Desgoffe."

„Und?"

„*Cher Monsieur, ich schreibe Ihnen den Brief, kurz nachdem Sie sich verabschiedet haben. Ich habe etwas Wichtiges vergessen ...*"

Nichts war mehr wichtig.

„*... Wenn Sie bitte nochmal vorbeikommen könnten ...*"

* * *

Die alte Dame schien furchtbar verlegen. Sie zupfte ständig an ihren tränenförmigen Ohrringen.

„Als Sie weggegangen waren, hatte ich sofort Gewissensbisse", stammelte sie. „Ja, Gewissensbisse. Ich war mir richtig böse wegen meiner Prüderie ..."

„Hören Sie", unterbrach ich sie. „Ich weiß nicht, was Sie mir an Wichtigem mitteilen wollen. Aber vorher möchte ich Ihnen was mitteilen. Ich hab die letzten Stunden nicht vergeudet ..."

Nein, hatte ich wirklich nicht.

„... und dabei bin ich zu dem Schluß gekommen, daß Ihre Nichte wohl nicht mehr in Paris ist. Und da ich ihr nicht durch ganz Frankreich hinterherlaufen kann, möchte ich Sie bitten, mich von dem Auftrag zu befreien."

„Nicht mehr in Paris?"

„So ist es."

Und ich tischte ihr ganz ofenfrisch das Märchen von einer „Flucht aus Liebe" auf, das ich mir unterwegs zurechtgelegt hatte. Zum ersten Mal in meiner Laufbahn als Märchenerzähler wurde mir beim Märchenerzählen unbehaglich. Aber anders ging's nun mal nicht.

„Und wissen Sie auch, mit wem sie davongelaufen ist?" fragte Mademoiselle Caprond.

„Nein."

„Hoffentlich ist das ein anständiger Junge!"

„Keine Ahnung."

Sie rutschte auf ihrem Stuhl hin und her, zupfte wieder an den Ohrringen.

„Ich sollte Ihnen jetzt erzählen ... was ich neulich verheimlicht habe ... übrigens gehört mir das nicht ... und ihr bestimmt auch nicht ... und ich möchte es nicht mehr hier im Hause haben ... hab's Ihnen dummerweise verheimlicht ... und dann hatte ich Gewissensbisse ... Ich weiß nicht, in welchen Kreisen meine Nichte verkehrt ... obwohl ... sich zur Miß Müll wählen zu lassen ... das hat schon was zu sagen ... aber es gibt sicher Schlimmeres ... Kurz und gut, ich hab etwas unter Catherines Sachen gefunden ... etwas zu Wertvolles, als daß es nicht gestohlen ist ..."

„Was denn?"

„Hier ..."

Auf dem niedrigen Tischchen zwischen uns stand ein Kästchen. Sie öffnete es, und ich erblickte ... Nein, das überraschte mich nicht sehr. Im Gegenteil, das paßte gut. Das klärte, das erklärte so einiges. Nein, überraschen tat mich das ganz und gar nicht.

In dem Kästchen funkelten vier grüne Steine. Die Ohrringe der Marquise de Forestier-Cournon. Die Smaragde, die in unserer Sammlung noch fehlten.

* * *

Ich ging nach Hause. Dort legte ich erst mal den Hörer neben das Telefon, um nicht gestört zu werden, und die Ohrringe in eine Schublade. Detektive wie mich mußte Monsieur Grandier erst mal suchen! Ich zündete meine Pfeife an und nahm mir die Flasche mit der Panthermilch wieder vor. Die nächsten Stunden verbrachte ich damit, 2 und 2 zusammenzuzählen, dann 4 und 4, schließlich 8 und 8. Zwischen zwei Rechenoperationen sah ich mir die Schallplatte näher an, die meine Freundin Marcelle bei

Germain Saint-Germain geklaut hatte. Eine Aufnahme mit Dizzy Gillespie. Mac Gee schien diese Musik sehr geliebt zu haben. Ich kratzte auf dem Etikett, hinter dem ich Rauschgift vermutete. Aber ich fand nichts. Keine gute Idee. Doch ich wollte nichts außer acht lassen. Als nächstes griff ich zu dem Gedichtband von Rémy Brandwell. *Schrei des Herzens*. Noch einmal las ich die herrliche Widmung für Germain Saint-Germain, in der eckigen Handschrift von jemandem, der sich nicht für ein kleines Licht hielt. Darunter der Namenszug: *Rémy Brandwell*. Über die gesamte Breite der Seite hinweg. Rémy Brandwell. Die handgeschriebenen Buchstaben konnte man aber auch anders lesen. Tja, du hattest gewonnen, Bernard Lebailly! Du mit deinem *Kopf eines Mannes*! Hab dir doch gesagt: diese Lektüre ist nichts für dich.

Als ich glaubte, alles gut im Griff zu haben, war es schon Nacht geworden. Ich steckte meine Kanone ein und ging weg. Die Nacht unterschied sich in nichts von den vorangegangenen: herrlich warm und sternenklar. Diesmal spuckte mich die Metro nicht in Saint-Germain-des-Prés aus, sondern in Vavin. Aber auch heute schwamm ich sozusagen an die Oberfläche, so sehr schwitzte ich.

Durch die Rue Bréa und die Rue Vavin gelangte ich zum Jardin du Luxembourg. Hinter den geschlossenen Gittertoren raschelten die Bäume im leichten, lauen Wind. Ein angenehmer Pflanzenduft erfüllte die Luft, aber nur bis zur Mitte der Rue Guynemer. Die vorbeifahrenden Autos bildeten mit ihrem Benzingestank ein unüberwindbares Hindernis, so daß der ländliche Duft die andere Straßenseite nicht erreichen konnte.

Ich sah zur Wohnung des Schriftstellers hoch. Die Fenster waren schwach erleuchtet. Ich ging in das Haus und stieg hinauf.

„Bestimmt erinnern Sie sich noch an meinen Namen", sagte ich zu dem Diener, der mir die Tür öffnete. „Aber ich sag ihn nochmal: Burma."

„Ja, Monsieur. Monsieur Nestor Burma", vervollständigte er meinen Eintrag im Taufregister.

Er war frischrasiert, sah sehr würdig aus. Aber immer dieser träge, trübe Blick! Offensichtlich konnte er ihn nicht wechseln wie seine gestreiften Westen. Er fügte hinzu:

„Monsieur hat mehrmals versucht, Monsieur telefonisch zu erreichen."

„Tatsächlich? Das trifft sich gut. Ich wollte nämlich gerade zu ihm. Die großen Geister begegnen sich."

Der gute Geist vor mir stimmte höflich zu:

„Ja, Monsieur... Monsieur hat Besuch. Wenn Monsieur bitte eine Sekunde warten möchte. Ich melde Sie Monsieur."

Lautlos ging der Diener durch den Korridor. Ich näherte mich einem Stuhl und... setzte mich nicht. Der Diener ging nicht ganz bis zum Ende des Korridors. Er blieb wie angewurzelt stehen. Ich sprang auf.

Nicht weit von uns hatte jemand soeben ein teuflisches Lachen ausgestoßen, das Lachen eines Wahnsinnigen. Dann schrie jemand auf vor wahnsinniger Höllenangst. Und dann fiel ein Schuß.

* * *

Ich rannte den Diener über den Haufen und stürzte in das wohlbekannte Mehrzweckzimmer. Heute abend wurde hier zweifellos auf bewegliche Ziele geschossen. *Die Jagd des Grafen Zaroff*! In einer Ecke kauerte zwischen verstreut herumliegenden Büchern Germain Saint-Germain. Ungekämmt, unrasiert, im Pyjama. Kein schöner Anblick. Er wimmerte wie ein Kind. Starb fast vor Todesangst. Seine linke Hand umklammerte den rechten Arm, der soeben was draufgekriegt hatte.

Mitten im Zimmer stand ein noch junger, aber schon kahlköpfiger Mann und lachte immer noch glucksend. Sein Gesicht sah verlebt aus, sein Anzug abgetragen. In seiner Hand hielt er eine 22er.

„Schluß jetzt, Tintin!" rief ich. „Du bist ja total blau. Völlig verrückt. Weg mit der Kanone. Hab dir doch schon neulich geraten, sie wegzuschmeißen."

Martin Burnet hörte auf zu lachen, sah mich an und zuckte die Achseln.

„Jaja, schon gut", sagte er ruhig und gelassen. „Ich bin nicht besoffen. Jetzt nicht mehr. Ich bin sehr klar bei Verstand." Er warf die Waffe hoch, fing sie wieder auf. „Die brauch ich jetzt nicht mehr. Hab diesem Schwein einen Denkzettel verpaßt. Was für ein Anblick! Sieh ihn dir bloß an!"

Er warf die Kanone auf ein Buffet.

„Burma!" rief Saint-Germain, nachdem er mich mit Verspätung erkannt hatte. „Mein Freund!" Er begrüßte mich mit schluchzender Stimme, wie einen Retter in höchster Not. „Sie wollen mich umbringen, Burma. Retten Sie mich!"

„Halten Sie die Schnauze", sagte ich zur Tröstung und zur Rettung seiner Würde.

Das wirkte. Er hielt sie. Der Diener nicht.

„Vielleicht sollte man die Polizei rufen?" fragte er gespreizt.

„Lassen Sie die Flics aus dem Spiel", herrschte ich ihn an. „Verarzten Sie lieber Ihren Chef. Und schließen Sie die Fenster. Das ist das beste, was Sie im Moment tun können."

Er trat ab. Sein Blick war träger und trüber denn je. Ich zog die Vorhänge zu und näherte mich Martin Burnet. Der starrte immer noch auf den wimmernden Schriftsteller, wobei er sich unaufhörlich mit seiner belegten Zunge zufrieden über die Lippen leckte.

„Gefällt mir gar nicht, dich hier zu sehen, Tintin", sagte ich. „Du paßt nämlich nicht in mein Puzzle. Oder ich hab irgendwo 'n Fehler gemacht. Ich wollte unserem großen Meister gerade eine kleine Geschichte erzählen, in der du bis auf weiteres nicht vorkommst."

„Eine Geschichte?" lachte mein Freund. „Aus der er dann vielleicht noch ein Buch macht?"

„Warum nicht."

„Dann bist du ihm ja herzlich willkommen. Er selbst hat nämlich keine Ideen. Total erledigt!" rief er mit triumphierender Stimme und sah den Schriftsteller feindselig an.

Saint-Germain stieß ein dumpfes Gegrunze aus, so als hätte man ihn soeben wieder verletzt. Schmerzhaft verzog er das Gesicht, sagte aber nichts. Verkroch sich immer mehr in seine Ecke. Der Diener kam mit der Hausapotheke wieder. Ich ging hin und half ihm bei der Ersten Hilfe. Dem Hausherrn die Pyjamajacke auszuziehen, ging nicht ohne Stöhnen und Jammern ab. Nie so eine Zimperliese gesehen. Ihm auf die Beine und in einen Sessel zu helfen, war eine Mordsarbeit. Man konnte meinen, er wäre dem Tod von der Schippe gesprungen. Dabei hatte die Kugel kaum seine Haut geritzt. Die Wunde war ungefährlich. Ein Kratzer, mehr nicht.

„Sie sind noch mal davongekommen", stellte ich fest.

„Sie werden mich umbringen", winselte er.

Er krallte seine Finger verzweifelt in meinen Arm.

„Sie werden mich umbringen", wiederholte er. „Ich fühl es. Sie werden mich umbringen."

Ich machte mich los, ließ ihn jammern und wandte mich wieder Tintin zu.

„Erledigt, hast du gesagt?"

„Völlig kaputt", frohlockte Martin. „Weißt du, wie er sich inspirieren läßt?"

„Er besäuft sich."

„Nein! Er läßt die andern saufen. Alkohol. Worte. Läßt sie dann Scheiße bauen und versucht, das aufs Papier zu bringen. Ein Weltenschöpfer, einer, der die Fäden zieht... und manchmal auch die Würmer aus der Nase. Bei mir hat er's zum Beispiel versucht. Hier..."

Er nahm vom Tisch einen grünen Aktendeckel, auf dem in großen Buschstaben zu lesen war: *Der Keller des ersten Kummers*. Tintin schlug den Aktendeckel auf. Gähnende Leere.

„Über den Titel ist er noch nicht hinausgekommen", lachte er. „Weil ich ihm nicht mein Herz ausgeschüttet habe. Nicht daß er mit Tricks gespart hätte... Aber es hat nicht ganz geklappt. Weißt du, was *Der Keller des ersten Kummers* ist, Nestor? Das ist... oder vielmehr hätte sein sollen... die Geschichte einer Karriere und eines Scheiterns, eine Parallelgeschichte. Unsere Geschichte, Suzys und meine. Ich weiß..."

Er strich sich mit der Hand übers Gesicht. Seine Stimme versagte.

„... ich weiß, meine Verhalten ist saublöd. Aber das ist einzig und allein meine Sache. Meine Intimsphäre... Davon werd ich mich nie erholen. Ich krepier dran..."

Er ließ den Aktendeckel auf den Teppich fallen und beförderte ihn mit einem wütenden Fußtritt unter einen Schrank. *Der Keller des ersten Kummers*, ein hübscher Titel für einen ungeschriebenen Bestseller. Ein farbiger Umschlag für enttäuschte Hoffnungen.

„Je höher sie steigt", sagte ich achselzuckend, „desto tiefer sinkst du. Dagegen ist wahrscheinlich nichts zu machen. Du hast beschlossen, dich kaputtzumachen, also tu's! Aber, Herrgott nochmal! Du mit deiner Intimsphäre. Solltest auch zu schreiben anfangen. Hier in der Gegend schreiben ja alle mehr oder weniger. Sogar die Hotelportiers!"

„Ja", flüsterte Tintin. „Je höher sie steigt, desto tiefer sinke ich. Nur, das ist keine Literatur. Das ist tatsächlich so..."

Wieder bekam sein Gesicht diesen träumerischen Ausdruck. Diesen unangenehmen Ausdruck eines Idealisten, der zum Bombenwerfer werden kann.

„Meine unglückliche Liebe geht mir nicht aus dem Sinn. Das versaut mir mein ganzes Leben."

„Das versaut dir dein ganzes Leben, weil du dich da hineinsteigerst, verdammt nochmal!" schimpfte ich. „Heute stand in der Zeitung, daß deine Suzy noch eine Sprosse höher geklettert ist. Deshalb wolltest du noch eine Stufe runterfallen, durch eine saudumme Tat. Wär dich teuer zu stehen gekommen. Oder es war tatsächlich einfach Enttäuschung und Wut..."

Er trat ungehalten von einem Fuß auf den andern.

„Großer Gott!" sagte er. „Lassen wir das. Hab die Schnauze gestrichen voll von diesem Analysieren und Erforschen. Ich wollte dem Schwein da schon lange eine Lektion erteilen, mich an seiner Angst weiden. Hab's aber immer wieder verschoben. Na ja, heute hab ich's gemacht. So! Sollte aber nur eine Lektion sein, klar? Denk bloß nicht, ich wollte ihn umbringen. So blöd bin ich nun auch wieder nicht."

Er ging über den dicken Teppich zu dem Sessel, in dem Saint-Germain zusammengekauert saß. So selbstbewußt wie ein

Waschlappen, nackt bis zur Gürtellinie, was ihn nicht gerade beeindruckender aussehen ließ. Einen Augenblick lang fürchtete der Bestsellerautor einen neuen Angriff, drückte sich gegen die weiche Rückenlehne. Seine verstörten Augen suchten Martins Revolver. Die leeren Hände des andern beruhigten ihn nicht sehr. Tintin baute sich vor ihm auf und fing an, ihn wüst zu beschimpfen:

„So ein Dreckskerl wie du verdient nicht zu leben! Hörst du mir zu, Bergougnoux? Aber du bist es nicht wert, daß man wegen dir in den Knast geht. Nur weil man dich Miststück abgeschlachtet hat. Wer von uns beiden wär dann wohl das Opfer, hm?"

Lachend rief er in meine Richtung:

„Da, ich liefer ihm schon wieder einen Romanstoff, diesem Schwein. DU SCHWEIN! Die Bürschchen um den berühmten Schriftsteller... Berühmt! Ja, Scheiße! Nicht mehr lange."

Er wandte sich wieder Saint-Germain zu. Der hatte die Augen geschlossen und den Kopf zurückgelegt. Wie zum Rasieren. Aber er schien sich nicht so wohl zu fühlen wie beim Frisör. In seinem kreideweißen verlebten Gesicht zuckte es unaufhörlich.

„Nein, nicht mehr lange", zischte Burnet ihn an. „Du bist leer, erledigt, ausgepumpt. Deine Frau hat das als erste gemerkt und ist abgehaun. Mit dir kann keine Sau zusammenleben, mit deinen Intrigen, deinen Tricks, mit deiner verzweifelten Suche nach Inspiration! Nicht nur ich bin ein Versager. Du auch. Und du fällst tiefer als ich. Von ganz oben."

Saint-Germain schwieg. Nur ein Zucken im Gesicht war die Antwort.

„Du kapierst doch immer alles", wandte Tintin sich wieder an mich. „Also kapierst du auch das hier, Nestor. Er macht diese Idioten besoffen, mit Alkohol oder mit Schmus, provoziert Konflikte, um daraus seine Inspiration zu schöpfen. Ein Mann von erlesenem Geschmack, wie Monsieur selbst so gerne sagt. Aber immer klappt das nicht. Und wenn's klappt, dann ist es manchmal nicht mehr zu bremsen. Raymonde zum Beispiel... du kennst die Kleine vielleicht nicht... achtzehn Jahre... hat vor kurzem Selbstmord begangen."

Er sah den Schriftsteller an, ging einen Schritt auf ihn zu.

„Ich mach dich für Raymondes Tod verantwortlich, du ausgelutschte Hure, Hure, du..." sagte er mit dumpf drohender Stimme. „Du hast daraus eine Novelle gemacht, eine kleine miese Novelle, du miese kleine Ratte."

Er trat ihm kräftig vors Schienbein. Vor Schmerz fuhr Saint-Germain hoch und schlug seinem Krankenpfleger das Fläschchen Merkurichrom aus der Hand.

„Das stimmt nicht", widersprach er nicht sehr überzeugend.

„So, das reicht jetzt", mischte ich mich ein und zog Tintin am Arm in die neutrale Ecke.

„Möchte wissen, warum man so ein Schwein mit Samthandschuhen anfassen soll", beschwerte sich Tintin. „Hör mal, Nestor: Du findest sicher, daß ich übertreibe und Literatur produziere. Aber ich frag mich, ob er zögern würde, irgendjemanden zu einem Mord zu treiben. Nur um aus nächster Nähe das Verhalten eines Mörders zu studieren. Der bringt das fertig."

„Ich glaub, der hat's schon fertiggebracht", erwiderte ich.

13.
Die Jagd des Grafen Zaroff

Ich leerte mein Glas und reichte Saint-Germain ein volles.

„Hier, trinken Sie. Vielleicht haben Sie danach weniger Schiß."

Er führte das Glas mühsam an die zitternden Lippen und trank es in einem Zug leer. Ein paar Tropfen liefen ihm übers schlechtrasierte Kinn auf die Pyjamajacke, die ich ihm wieder umgehängt hatte. Der Anblick seines Oberkörpers war nämlich kein reines Vergnügen.

Wir zwei waren jetzt allein. Der Hausdiener war in seinem Dienstzimmer verschwunden (oder wie man das nennt). Hatte strikte Anweisung, sich nur um seinen Kram zu kümmern. Tintin hatte ich empfohlen, sich aus dem Staub zu machen. Der Versager war offenbar mit dem Abend zufrieden. Endlich mal 'ne Hauptrolle für ihn.

„Sie werden mich umbringen", begann Saint-Germain zum x-ten Mal. Was anderes fiel ihm nicht ein. Für einen Schriftsteller kein ausgesprochen breitgefächertes Repertoire! In der Tat, er war völlig ausgebrannt. Ich setzte mich neben ihn.

„Sie haben die Atmosphäre um sich herum vergiftet, hm? Und daran ersticken Sie jetzt. Wollten Sie das damit sagen?" fragte ich ihn.

In sein Gesicht war immer noch keine Farbe zurückgekehrt. Dafür zuckte es wie gehabt. Seine wässrigen grauen Augen waren so lebendig wie die einer Eule. Ängstlich wie ein gehetztes Wild blickte der Meister um sich. Er schluckte, dann sagte er wehleidig:

„Diese gemeine, undankbare Bande. Ich habe die Atmosphäre nicht vergiftet. Ist es meine Schuld, wenn diese Dummköpfe so labil sind? Und sich wer weiß was ausdenken? Wie dieser arme

Irre, dieser Martin Burnet. Sie dürfen nicht glauben, was er erzählt, Burma, nicht glauben. Alles erfunden. Seine Suzy hat ihn um den Verstand gebracht."

„Schluß jetzt", unterbrach ich sein Geschwätz. „Ich glaub nur, was ich weiß. Was ich aber nicht weiß: Warum wollten Sie mich heute sehen? Denn das wollten Sie doch, oder?"

„Hören Sie Burma, ich..."

Er schwieg. Was er sagen wollte, kam ihm wohl nur schwer über die Lippen. Ich stand auf und verabreichte ihm eine zusätzliche Ration Alkohol. Wie bei einem Kranken. Dann blieb ich vor ihm stehen und wartete auf seine Erklärung. Der Alkohol schien ihm etwas von seiner Selbstbeherrschung wiederzugeben.

„Na ja, Burma", stammelte er, „... also, ich wollte Ihnen sagen... ich... äh... hab vielleicht was für Sie... beruflich, meine ich... äh... Interessieren Sie sich für den Mord an diesem Neger, im Diderot-Hôtel?"

„Das wissen Sie doch ganz genau."

Er fuhr hoch.

„Wie... wieso... soll ich das wissen?"

„Spielen Sie nicht den Naiven. Sie haben gehört, wie ich im *Cave-Bleue* mit dem Nachtportier telefoniert habe. Seitdem wissen Sie's. Hab ziemlich lange gebraucht, um draufzukommen. Sie standen an der Theke, konnten näher an die Kabine gehen, um nichts von dem Gespräch zu verpassen. Na ja, irgendwann ist mir das dann doch noch aufgefallen. Zu diesem Zeitpunkt – ich meine, als Sie das Gespräch belauscht haben – wußten auch Sie, daß der Schwarze tot war. Also war für Sie klar: Nestor Burma interessiert sich für den Fall. Und als Sie später den Schmuck loswerden wollten, haben Sie ihn mir vor die Tür gelegt. Sie wußten nämlich aus der Presse, daß Privatdetektive im Namen der Versicherungsgesellschaft mit den Schmuckdieben Kontakt aufnehmen sollten, damals... Und da haben Sie kombiniert."

Er machte den lächerlichen Versuch, entrüstet zu erscheinen.

„Aber, aber, Burma... Sie wollten mir doch nicht zufällig den Mord in die Schuhe schieben?„

„Oh, nein!" sagte ich lächelnd. „Den Namen des Mörders

werden Sie mir gleich nennen. Denn jetzt kriegen Sie so langsam Angst vor ihm. Also waren Sie's nicht."

„Und ... wer ... wer dann?"

„Ein Dichter. Rémy Brandwell ... Ja, nehmen wir fürs erste Rémy Brandwell."

Saint-Germain sank noch tiefer in seinen Sessel.

„Großer Gott! Sie wissen aber auch alles. Da bleibt für mich nicht mehr viel Hoffnung ..."

„Ich weiß zwar nicht alles, aber so einiges, immerhin ..."

„Und zwar viel zuviel", knurrte eine rauhe Stimme hinter mir.

Germain Saint-Germain stieß einen kurzen Angstschrei aus. Wie eine alte Frau. Ich drehte mich um. Der Kerl hatte einen Revolver in der Hand. Wie fast jeder heute nacht. Ich hatte meinen auch noch im Anschlag. Der neue Besucher war groß, hatte lange Haare und ein aufgedunsenes Gesicht. Seine Beine steckten in Bluejeans. Über einem Cowboyhemd trug er eine amerikanische Jacke mit Lederflicken an den Ellbogen. Ich hatte das Gefühl, daß dieser Abend nach dem vielversprechenden Beginn noch für einige Überraschungen gut war. Jedenfalls hatte ich meine Automatik praktisch nicht aus der Hand gelegt, seitdem ich in diese Wohnung gekommen war.

„Salut, mein Dichter", sagte ich. „Komische Verse machst du heute."

„Geht dich 'n Dreck an", zischte er und drehte seine dicke, behaarte Nase in Saint-Germains Richtung. Seine Nasenflügel bebten, so als wittere er schon einen leckeren Braten.

„Hm, Bergougnoux? Gerade dabei, mich zu verpfeifen?"

Seine wütend hervorgestoßenen Worte gingen in Gelächter über.

„... Hast du mich deshalb kommen lassen? Ich dachte, du wolltest mir die vierte Kopie geben, die ich noch nicht vernichtet habe. Alles leere Versprechungen, hm?"

Saint-Germain wurde leichenblaß.

„Nein, nein!" kreischte er. Seine Stimme überschlug sich. „Nein, Ehrenwort ... Werd dir alles erklären, Rémy ..."

Er konnte keinen Ton mehr rausbringen. Angst schnürte ihm die Kehle zu.

„Deine Märchen kenn ich inzwischen", sagte Rémy Brandwell und richtete seine Kanone auf die Heulsuse.

Brandwell, wie der versoffene Bruder von Emily Brontë.

„Sei nicht blöd, Brandonnel", riet ich ihm.

Brandonnel, wie der Sohn des verstorbenen Witwers, zu Lebzeiten Polizeiinspektor.

„... Zwei hast du schon umgelegt. Für diese Glanzleistungen wirst du zwar keinen Orden kriegen, aber überleg mal: Sohn eines toten Flics, der im Dienst erschossen wurde. Vielleicht kriegst du einen gnädigen Richter. Lebenslänglich Knast. Nur ... wenn du ein halbes Dutzend ins Jenseits beförderst, kostet dich das den Kopf."

Er drehte den gefährdeten Kopf in meine Richtung, fett und wächsern. Gleichzeitig richtete er die schwarze, gefräßige Mündung seines Revolvers auf mich. Als Saint-Germain sah, daß er aus der Schußlinie war, stieß er einen ausdrucksstarken Seufzer der Erleichterung aus.

„Tja", machte der junge Dichter. „Hab den Eindruck, Sie wissen wirklich 'ne Menge, Monsieur. Brandonnel ... Haben Sie das ganz alleine rausgekriegt?"

„Ja. Bin aber gar nicht so mächtig stolz drauf. Hat mir zu lange gedauert."

„Und dann soll ich zwei Leute umgebracht haben?"

„Ja."

„Wen?"

„Charlie Mac Gee und Bernard Lebailly."

Er lachte:

„Also, Charlie Mac Gee, einverstanden ..."

„Im Ernst? du bist wirklich nett. Gut, erzähl du mir die Geschichte mit dem Neger, dann erzähl ich dir, warum du Lebailly kaltgemacht hast. Du siehst, man kann sich immer einig werden."

Ein heißer Blick aus hervortretenden Augen wurde mir zugeworfen.

„Sie sind ja 'ne komische Nummer."
„Ganz im Gegenteil. Bin nur der einzige Dichter hier im Zimmer. Also, Brandonnel, ich höre!"
Mit dem Schießeisen in der Hand ging ich ein paar Schritte zurück, um eine böse Überraschung zu vermeiden. Der junge Mann stand hinter einem Sessel. Wie an einem Schießstand, bereit zum Angriff.
„Na ja", sagte er mit seinem widerlichen Lächeln, „ich hab Blanchette umgebracht, um ihm sein Geld abzuknöpfen..."
Mit einer Handbewegung unterbrach ich ihn.
„Moment. Vielleicht von Monsieur Saint-Germain angefeuert? Der hat ja 'ne Schwäche für solche Experimente..."
„Das, Alter", sagte Rémy stirnrunzelnd, „das ist unsere Sache."
„Wie du willst. Weiter."
„So sehr hat der sich gar nicht verbarrikadiert, Blanchette. Nicht so, wie immer behauptet wurde. Blieb auch nicht tagelang auf seinem Hotelzimmer. Manchmal ging er auf die Straße. Und bei so 'ner Gelegenheit hat er... na ja... jemanden kennengelernt."
Er schwieg plötzlich, runzelte wieder die Stirn. Schien wenig geneigt, seine Geschichte zu Ende zu erzählen.
„Los", sagte ich seufzend, „oder muß ich am Ende wieder alles alleine erzählen? Immer dasselbe. Scheißberuf! Und hinterher wundert man sich, daß ich Durst habe... Hat der keinen Namen, dieser Jemand?"
Rémy Brandonnel brummte:
„Werd ich Ihnen nicht verraten. Werd Ihnen überhaupt nichts mehr verraten. Hab schon genug Scheiße gemacht."
„Da hast du recht", stimmte ich ihm zu. „Aber an deiner Stelle würde ich nicht damit weitermachen. Denn... sag mal, was wolltest du heute abend hier? Bergougnoux mit der Kanone da bedrohen? Schmeiß das Ding weg, Kleiner, laß Saint-Germain seine Gelbsucht pflegen und stell dich der Polizei. Wenn du willst, gehen wir zusammen zu den Flics, jetzt sofort. Ich sag's dir: du kriegst mildernde Umstände, mit einem guten Anwalt... ich weiß

nicht, aber... er könnte zum Beispiel auf erbliche Vorbelastung plädieren oder so. Eine so schwere Belastung, daß nicht mal Sisyphos sie tragen könnte."

Er stieß ein hysterisches Lachen aus.

„Nicht möglich, Monsieur. Sie sind ein kleiner Witzbold."

„Hab nur alle Tassen im Schrank. Und deshalb hätte ich Mac Gee auch nicht Taxis Bekanntschaft oder Taxi Mac Gees Bekanntschaft machen lassen. Du weißt schon, was ich damit meine."

Brandonnels Nasenflügel bebten wieder. Er schob seinen Unterkiefer vor, was in dem aufgeschwemmten Gesicht urkomisch aussah.

„Dieses Schwein!" brüllte er. „Der war ganz scharf auf blonde Frauen!"

„Sehr gut", lobte ich. „Ich meine, für deine Gerichtsverhandlung! Mildernde Umstände, Kleiner. Anscheinend existiert auf der Grundlage von Rassenhaß so was wie Sexualneid bei den Weißen auf die Farbigen..."

„Verdammt nochmal!" schimpfte Rémy Brandonnel, „genau das hab ich in dem Zimmer gespürt. Wir wollten ihm nur sein Geld klauen, mehr nicht. Aber dafür mußten wir... Also hab ich ihn lieber gleich umgelegt. Hab ihn mit seinem eigenen Schießeisen eins aufgebrannt. Taxi war dabei, kapierte nicht..."

„... daß du ihre Ehre verteidigen wolltest, hm?"

„Das ist mein Ernst, Monsieur", sagte er so würdig wie möglich.

„Meiner auch. Schön. Der Neger ist erschossen, ihr klaut ihm das Geld und den Schmuck..."

Ich wartete darauf, daß er sein Herz ausschüttete. Es kam nichts. Also tastete ich mich weiter vor:

„Und Monsieur Saint-Germain hat diesen Schmuck zwangsverwaltet. Monsieur Saint-Germain ist nämlich raffiniert..."

„Sehr raffiniert!" bestätigte der Mörder des farbigen Gangsters und brach wieder in hysterisches Lachen aus.

„Genauso raffiniert wie ein Stück Zucker. Siehst du, Rémy, er löst sich genauso auf."

Der Bestsellerautor verkroch sich tatsächlich immer mehr in

seinen Sessel. Wagte nicht, sich zu bewegen. Nur die Augen, zwei schwarze Löcher in dem blutleeren Gesicht, bewegten sich zwischen Rémy und mir hin und her. Schwer zu sagen, vor wem er mehr Angst hatte.

„Spaß beiseite", sagte ich, wieder ernst. „So ein Erlebnis erschütterte die kleine Taxi natürlich mächtig. Bei der Vorwahl zur Miß Müll schien sie nicht ganz auf der Rolle zu sein. Hatte auch allen Grund dazu. Und als wir hier die Nacht beendeten, mußtest du ihr ein Beruhigungsmittel geben. Diese Einzelheiten sind mir erst viel später eingefallen..."

„Und keine dieser Einzelheiten interessiert mich", fiel mir der junge Mann ins Wort.

„Und wenn ich dir was von deinem zweiten Opfer erzähle? Bernard Lebailly? Interessiert dich das auch nicht?"

„Nicht die Bohne."

„Aber du gestattest doch, daß ich dir trotzdem von ihm erzähle, oder?"

„Aber schnell. Ich hab's eilig."

„Eilt überhaupt nicht. Sonst machst du noch mehr Dummheiten. Glaub mir. Solange du mir zuhörst, kann sich deine Lage nicht verschlimmern. Du weißt gar nicht, welchen Dienst ich dir erweise. Gut... Also: Bernard Lebailly. Bevor der dein Opfer wurde, war er das Opfer dieses Arrondissements. Ja, er hat geschrieben. Literatur. Theaterstücke. Er saß hinter der Rezeption, als du in der besagten Nacht zum Zimmer 42 raufgingst und wieder runterkamst. Lebailly hat sofort kapiert, daß du der Mörder warst. Aber anstatt dich zu verpfeifen, hat er lieber seinen Job verloren. Spekulierte auf eine Befriedigung andrer Art, auf höherem Niveau. Wußte wohl, daß du der Sohn eines Flics warst. Vielleicht hatte er auch mal in einem Hotel gearbeitet, in dem du gewohnt hast, kannte deinen richtigen Namen usw. usf. Was liegt näher als eine hübsche kleine Erpressung? Aber vorher gönnt er sich noch ein seltsames Vergnügen..."

Ich wandte mich dem Schriftsteller zu.

„... Hätte Ihnen gefallen, dieser Lebailly, Monsieur Saint-Germain. In seiner Art auch ein Mann von erlesenem Geschmack.

Hatte *Der Kopf eines Mannes* von Georges Simenon gelesen und identifizierte sich mit Radek."

Saint-Germain zuckte zufällig mal nicht. Auch nicht mit der Wimper. Ich fuhr fort:

„Radek, nicht zu verwechseln mit dem gleichnamigen Revolutionär, ist die Hauptfigur im *Kopf eines Mannes*. Ein armer Schlucker, ein Versager, pfeift auf dem letzten Loch. Aber ein interessanter Charakter. Verspürt eine seltsame und seltene Befriedigung dabei, das Tun und Treiben reicher Leute zu beobachten, und zwar solcher, von denen er weiß, daß sie was auf dem Kerbholz haben: sie haben ein Verbrechen von jemand anderem begehen lassen. Und dieser andere ist er, Radek! Er gibt sich absichtlich nicht zu erkennen, bleibt der geheimnisvolle Unbekannte. Freut sich über die wunderbare Macht, die er über die reichen Säcke hat. Er, der arme Schlucker, der elende Versager, schwebt als Damoklesschwert über ihnen, weil sie sich die ganze Zeit über Sorgen machen und sich quälen. Keine Nachricht von dem Mann, von dem sie wissen, daß er alles weiß! Wie erleichtert wären sie, wenn Radek sich den Lohn für seine Dienste abholen würde! Aber Radek rührt sich nicht. Er hat den bess'ren Teil erwählt. Na ja, Lebailly ist ein Radek in Taschenformat. Einmal hab ich ihn im Flore gesehen. Sie waren auch da, Sie alle. Er beobachtete Sie, überglücklich. Wie Radek. Dieses unschuldige Spielchen war für niemanden gefährlich. Hätte noch lange so weitergehen können, wenn ich nicht dazwischengekommen wär. Aber ich komm nun mal dazwischen. Lebailly kriegt es mit der Angst zu tun. Sagt sich wohl: ich werd noch eingesperrt, bevor ich einen Sou dabei rausgeschlagen hab. Also, Schluß mit der Literatur, und ab geht die Post. Er muß sich mit dir treffen, Rémy, auf einen kleinen Schwatz..."

Ich machte eine Pause, um ihm Gelegenheit zur Bestätigung zu geben. Er ließ die Gelegenheit ungenutzt vorübergehen. Also fuhr ich fort:

„...und als er merkt, daß du nicht so richtig mitmachst, legt er die Karten offen auf den Tisch. Ruft deinen Vater bei der Kripo an und sagt wahrscheinlich: ‚Der Mörder vom Diderot-Hôtel ist Ihr

Sohn (ein Knabe, auf den Papa vielleicht sowieso schon nicht besonders stolz ist). Für weitere Auskünfte wenden Sie sich bitte an mich, Rue des Quatre-Vents, die und die Nummer, die und die Etage. Mein Name steht an der Tür.' Aber als dein Vater dort auftaucht, hattest du schon reingeschaut. Denn inzwischen hattest du dir gesagt: ‚Besser, man bringt diesen Erpresser sofort um.' Dein Vater begreift, daß du der Mörder bist... Was tun? Er ist weder genug Held, um dich der Justiz auszuliefern, noch genug Schwein, um dich zu decken. Also hat er sich mit Gangstern angelegt, um endlich Schluß zu machen. Einen Augenblick dachte ich, er wäre Lebaillys Mörder. Aber dann hätte er sich nicht den Gangstern vor die Flinte geworfen. Wie es scheint, hat er sich ihnen nämlich buchstäblich entgegengeworfen..."

Der junge Mann sah mich mit seinem Kuhblick an.

„Das sind doch alles nur Vermutungen", sagte er ruhig.

„Die aber verdammt gut mit der Wirklichkeit übereinstimmen, scheint mir. Findest du nicht?" gab ich zurück.

„Ich weiß gar nicht, wovon Sie reden. War's das?"

„Du kennst mich noch nicht. Wie kommt es, daß Monsieur Bergougnoux und du, die ihr doch so dicke fette Freunde zu sein scheint, daß ihr euch heute abend gegenseitig in die Pfanne haun wollt? Der eine bedroht den andern mit dem Revolver, der andere will den einen an die Flics verraten..."

„Ja, raten Sie mal. Wo Sie doch so schlau sind!"

„Du kennst mich nicht, sag ich dir. Mich provozieren? Na gut. Wirst schon sehen. Du hast also diesen Mord begangen – an dem Schwarzen, meine ich jetzt. Mit Schmus und schönen Worten besoffen gemacht, verhext, nenn es, wie du willst. Und zwar durch diesen Menschen hier! Ein ausgebrannter Schriftsteller, der sich um jeden Preis inspirieren lassen will, egal wo, egal wie. Oh! Den Mord hatte er nicht ins Auge gefaßt. Jedenfalls vermute ich das. Wurde von den Ereignissen regelrecht überrollt. Denn... der Mord war nun mal passiert, also konnte er auch davon profitieren, bis zum Erbrechen! Ich weiß nicht, ob er was rausgeschlagen hat. Sollte mich aber wundern, wenn er dich nicht zum Reden gebracht hat. Möglicherweise unter der Wirkung von Rauschgift.

Charlie hatte bestimmt was da. Du hast ihm Geld geklaut, den Schmuck, sogar Schallplatten. Warum also nicht auch Rauschgift? Jedenfalls erzählst du was, und unser großer Meister macht deine Beichte zu klingender Münze. Nur ist die Beichte auch ein Geständnis. Du erkennst plötzlich die Gefahr. Also mußt du ihm das Manuskript wegnehmen. Als du eben reingekommen bist, hast du sofort von drei Kopien gesprochen, die du vernichtet hast. Stimmt's?"

„Red nur weiter", knurrte Rémy.

„Gerne. Du schnappst dir die Kopien und vernichtest sie. Und schon sitzt unser König der Bestseller wieder auf dem trockenen. Ohne Idee. Dafür aber mit großen Sorgen. Heute wollte er mit mir reden, weil er Angst hatte. Denn um sich rauszuhalten und sich an dir zu rächen, hatte er mir den kompromittierenden Schmuck zukommen lassen. Hat dir bestimmt nicht gefallen. Den Klimbim kann man zwar nicht an den Mann bringen, aber schließlich hattest du ihn dir verdient. Deshalb bedrohst du dein Idol. Deshalb denkt er daran, dich der Polizei ans Messer zu liefern. Und zwar mit meiner Hilfe. Deshalb läßt er dich herkommen. Die vierte Kopie war nur ein Köder. Und ich sollte dich festnehmen... und dich gleich mitnehmen. Aber unvorhergesehene Ereignisse haben leider den Stundenplan durcheinandergebracht."

„Prima ausgeklügelt, hm?" lachte Brandonnel. „Aber meint er denn, im Knast halte ich die Schnauze?"

„Ja und? Er hat weder Mac Gee noch Lebailly getötet, hat also nichts damit zu tun. Selbst wenn du angibst, du hättest dich von ihm inspirieren lassen... Sieh an, schon wieder Inspiration!... Um als Mittäter verurteilt zu werden, müßte er *die Mittel des Verbrechens beschafft oder das Verbrechen begünstigt haben*. Gesetzestext, Zitat Ende. Unser großer Meister hat also nichts zu befürchten..."

„Außer, eine Kugel verpaßt zu kriegen", knurrte der junge Dichter mit dem aufgedunsenen Gesicht. „In meiner Situation..."

„Eben. Deswegen würde er dich lieber hinter Gittern sehen.

Aber ich sag's dir nochmal: wenn du den auch noch umbringst... eine dritte Leiche auf deinem Konto macht bestimmt keinen guten Eindruck bei den Geschworenen..."

„Ihr werdet keine Geschworenen brauchen", hörte ich hinter mir eine deutliche Stimme, etwas spöttisch, aber bebend vor Zorn, mit stark südlich gefärbtem Akzent.

Ein weiterer Staatsbürger mit Revolver erschien auf der Bildfläche: Roland Gilles. Wir waren komplett.

* * *

„Ach du Scheiße!" rief ich. „Mußt du mich eigentlich immer anschmieren, hm? Wie bist du hier reingekommen, Kleiner? Rémy hat ja wohl noch einen Schlüssel, aber du?"

Ein schwaches Lächeln teilte das Pferdegesicht des kleinen Gangsters in zwei Hälften.

„Ich bin schon 'ne ganze Weile hier. Hab hinter dem Vorhang da gestanden und euch zugehört. Reingekommen bin ich direkt hinter dem kleinen Scheißer da..."

Er wies mit einer Kopfbewegung auf Brandonnel, der ihn verdutzt ansah.

„Der Diener, der mir die Tür aufgemacht hat, ist in der Küche... hoffentlich hat er's überlebt", fügte er hinzu, aber man sah ihm an, daß es ihm scheißegal war.

„Direkt hinter Rémy, hm?" wiederholte ich. „Sieh mal an. Dann hat Taxi dir also vor ihrem Tod noch verraten, wo du den Mörder deines Freundes erwischen konntest, stimmt's?"

Er wurde blaß.

„Donnerschlag! Du weißt Bescheid?"

„Ja. Du hättest sie nicht umbringen dürfen, Roland. Na ja..."

Brandonnel taumelte, grunzte wie ein Schwein, brachte aber kein vernünftiges Wort raus. Roland Gilles nahm seine ganze Aufmerksamkeit in Anspruch. Wir bildeten ein hübsches Trio, sehr hübsch, was die Länge unserer Revolver betraf.

„Sag mal, Roland", brachte ich das Gespräch wieder in Gang. „Als du gemerkt hast, daß nicht die eigentlichen Schmuckdiebe deinen Freund Charlie getötet haben: hast du da die Leute ver-

dächtigt, mit denen er in Saint-Germain-des-Prés zu tun hatte?"
„Das geht dich 'n Dreck an!" schnauzte er mich an.
„Würd ich gerne wissen. Jedenfalls hast du dich für Miß Müll interessiert, weil du sie wahrscheinlich zusammen mit Mac Gee gesehen hast. Aber vielleicht hättest du dich gar nicht besonders für sie interessiert – weiß du überhaupt noch, wie sie aussah? –, wenn die Fotos in den Zeitungen dich nicht wieder an sie erinnert hätten."
„Scher dich zum Teufel!" knurrte Roland Gilles.
„Manche Leute sind gegen diese Schönheitswettbewerbe", sagte ich seufzend. „Ich werd mich noch ihrer Meinung anschließen müssen. Das führt zu nichts Gutem. Und du, Roland, wirst noch 'ne weitere Dummheit machen. Was willst du hier? Mac Gee rächen?"
„Ja..." sagte er tonlos. „Ich werd diesen kleinen Scheißer da umbringen."
„Prima!" lachte ich. „Die ganze Zeit erzählt hier jeder, daß er jeden umbringen will. Und alle leben noch. Prima! Wir werden alle ganz brav im Bett verscheiden, beweint von unseren blutjungen Geliebten. Wir..."
Noch nie ist mir ein Dementi so prompt um die Ohren geflogen.
Dieser saublöde Schriftsteller löste die Knallerei aus. Als er merkte, daß wir uns nicht mehr um ihn kümmerten – ganz in Anspruch genommen von Diskussionen, wie man sie nur in Saint-Germain-des-Prés zustande bringt –, da bewegte er sich ganz unbemerkt auf die Stelle zu, wohin Tintin seine 22er gepfeffert hatte. Er nahm das Ding und schoß auf den jungen Dichter. Vor dem hatte er wohl die größte Angst. Rémy erwiderte das Feuer. Da wollte Roland nicht zurückstehen. Schließlich war er nicht hierhergekommen, um Schach zu spielen. Sein Revolver bellte mehrmals.
Schnell flüchtete ich hinter ein wuchtiges Buffet. Vorher fing ich mir aber noch eine Kugel, die meinem Hut ein Loch beibrachte und mich um ein Haar skalpiert hätte. Eine weitere Kugel – kaum war ich in Sicherheit – zertrümmerte direkt über meinem

Kopf das Glas eines Bildes. Splitter rieselten auf meine Schultern. Es fing langsam an, in dem eleganten Salon nach Schießpulver zu stinken... und nach Alkohol. Die unschuldigen Flaschen hatten auch dran glauben müssen...

Plötzlich ging im *linving-room* das Licht aus. Dafür wurde es auf der Leinwand hell. Eine Kugel mußte den berühmten Hebel getroffen haben, der den Filmprojektor in Gang setzte. Auf der Leinwand zogen die makabren Bilder der Jagd des Grafen Zaroff vorüber.

Gewehr im Anschlag, Grausamkeit im Blick, den Mund von sadistischer Wollust verzerrt, gutturale Laute ausstoßend – so stürzte der Graf Zaroff durch den Park, in dem zwei Menschen wie Tiere ausgesetzt worden waren...

„Hier entlang, Exzellenz", rief ein zerlumpter Bauer.

„Auf, auf", rief Zaroff.

Das Paar flüchtete auf einen schmalen Pfad.

„Ich kann nicht mehr", schluchzte die junge Frau.

„Ich werde Sie retten, Geliebte", versprach der Mann.

Die junge Frau sank erschöpft zu Boden. Der Mann beugte sich über sie. Dann folgte er dem Blick seiner Schicksalgefährtin und sah... die teuflische Gestalt des Grafen Zaroff auf einem Hügel. Schüsse. Der Graf lachte, öffnete den Mund, sagte etwas... aber da fiel der Ton aus. Außer dem surrenden Geräusch des Projektors herrschte Stille im Zimmer. Stille herrschte im Zimmer!

Ich schüttelte die Splitter ab und kroch hinter meiner Deckung hervor. Schwankend näherte ich mich einem Körper, der mit dem Gesicht nach unten auf dem Teppich lag. Er hatte eine Kugel in den Rücken gekriegt. Die amerikanische Cowboyjacke mit den Lederflicken an den Ellbogen färbte sich langsam blutrot. Ein paar Meter daneben ruhte in Frieden Roland Gilles, ein Lächeln auf den Lippen. Er war bestimmt glücklich, seinen Freund gerächt zu haben. „Mac Gee und ich, wir waren so..." Zwei Finger aneinandergelegt. Sollten Schwarz und Weiß jemals vereint sein – im Paradies oder in der Hölle –, dann würde Roland Gilles seinen Freund nicht lange suchen müssen. Sie könnten wieder wie zwei Finger derselben Hand sein.

Monsieur Germain Saint-Germain hatte bei der allgemeinen Verteilerstunde reichlich was abgekriegt, atmete aber noch. Wenn er lange genug atmete, konnte er noch einen Bestseller schreiben. Stoff dafür hatte man ihm soeben geliefert. Aber... würde er's schaffen?

Auf der Leinwand lief der Film in der stummen Version weiter. Dann wurde es wieder hell im Zimmer, ohne Übergang, so daß ich geblendet wurde. Die Vorführung war beendet. Überhaupt war so einiges beendet.

Mein rechter Arm wurde mir seltsam schwer. Ach ja, ich hielt immer noch meine Kanone in der Hand. Seit wann hatte ich sie jetzt nicht mehr weggesteckt? Hoffentlich hatte ich keinen Gebrauch von ihr gemacht! Aber das konnte ich beim besten Willen nicht sagen. Ich umklammerte den Griff. Es kostete große Mühe, ihn loszulassen. Noch lange danach tat mir die Hand weh. Auch im Rücken spürte ich Schmerzen. Auf meinen Schultern lasteten Zentner. Ich hatte die Schnauze gründlich voll von Saint-Germain-des-Prés und seinen Kellern, den Kellern, die manchmal so tief wie Gräber waren, auf denen die Tannen für die Särge wachsen. Plötzlich mußte ich lachen. Wollte gar nicht wieder aufhören, bis mir alles wehtat. Bergougnoux war nun wirklich der Atem ausgegangen. Hätte er dafür keinen Ghostwriter engangieren können?

In den Bäumen des Jardin du Luxembourg stimmten Hunderte von Vögeln ihr Morgenkonzert an und begrüßten so den neuen Tag. Einen heiteren, warmen Sommertag, wie ich ihn liebe. Heute würde ich allerdings nicht viel von der Sonne haben. Ich wußte schon, wo ich den Tag verbringen mußte: in den düsteren, staubigen Räumen der Kripo. Und immer wieder dieselben Fragen der stämmigen Beamten, die sich nach 'ner Weile ablösen. Kam nämlich natürlich nicht in Frage, daß ich das Schlachtfeld verließ. Nicht in Frage, leider... Also, Flic auf Flic...

Lautlos, auf Zehenspitzen, so als fürchtete ich, die Toten aufzuwecken, schlich ich zum Telefon.

Florimond Faroux sollte die üblichen Leichen geliefert kriegen.

Paris, 1955

Nachgang

Saint Placide, Saint Sulpice, Saint Germain. Unter der Erde von Paris haben die Überirdischen einen hohen Stellenwert. Nicht weniger als 18 Metro-Stationen tragen den Namen von Heiligen. Dabei gehören die Nächte von Saint Germain selten klösterlicher Abgeschiedenheit, sondern praller profaner Lebenslust. Schlag nach bei Malet.

Wer heute an der fast dörflich anmutenden Kirche von St. Germain in den Untergrund hinabsteigt, stößt auf ein Gruppenbild mit Dame. Léon Binet hat auf großflächiger Leinwand in kräftigem Blauton all die Größen des Viertels aufgereiht. Boris Vian und Jacques Prévert, Jean Genet und Jean Paul Sartre, Paul Boubal, den Inhaber des Café Flore, und natürlich die schwarzmähnige Juliette Gréco, die Königin des Kult-Kellers ‚Tabou'.

Es ist wie ein Klassenfoto, so wie es an Abiturientagen gemacht wird. Alle schauen ein wenig maskenhaft drein, wie Marionetten, die man, aus einer Kiste herausgeholt, willkürlich nebeneinanderstellt.

Das war St. Germain von gestern. Boris Vian ist früh schon gestorben, auch Prevert lebt nicht mehr und Sartre liegt seit sechs Jahren auf dem Friedhof von Montparnasse, zwanzig Fußminuten von St. Germain entfernt. Vor einem Jahr hat man seine Lebensgefährtin Simone de Beauvoir neben ihm bestattet und am gleichen Tag, da die Beauvoir, die bei Binets Prominenten-Parade fehlt, von den noch druckfrischen Zeitungen in großen Lettern abgefeiert wird, da stirbt – abermals nur ein paar hundert Meter weiter – der Exzentriker Jean Genet in einem abgeschiedenen Hotel des 13. Arrondissements einen stillen und kaum bemerkten Tod.

Nur die Gréco ist geblieben. Schon 1954 schrieb Walter Mehring, der „die Pariser Cafés zur Kunstgeschichte der Neuzeit" zählte: „Die Epoche der Künstlerstammtische ist vorbei." Es war eine kurze und lebhafte Zeit. Aber dann (so Mehring) wurde das Café Flore, „das Mekka des Existenzialismus, von den Nichtsgläubigen und auf alles Neugierigen aus aller Welt in sol-

Die Kirche St. Germain

chen Scharen überlaufen, daß der Prophet des Einzig-Wahren Ich-Selbst, Jean Paul Sartre, keinen Platz mehr für sich selber frei fand und seiner Lehre gemäß, sich nur durch sein Nicht-Dasein manifestierte. Er verlegte seinen Apéritif ins Café Procope."

Das Procope rühmt sich noch heute, das älteste erhaltene Café der Welt zu sein, 1689 gegründet von einem Sizilianer, auf das Jahr genau hundert Jahre vor der Revolution, die wiederum die seit einem Jahrtausend bestehende Benediktiner-Abtei von St. Germain geschlossen und bei der Gelegenheit 318 Geistliche ermordet hatte. Die Königsgräber wurden geplündert, die Kirche wurde zum Teil abgetragen und in ihren Mauern eine Salpeterfabrik eingerichtet. Heute ist die Kirche wieder Kirche, das Procope ist immer noch das Procope, was den Rückschluß zuläßt, daß Cafés flexibler auf Revolutionen reagieren, und auch das Flore steht noch. Das Tabou in dem die Gréco ihren Weltruf gründete, ist zu einer zweitklassigen Diskothek verkommen.

Es war ein biederes Bistro, kurz nach dem Krieg, als sich Jazz-Musiker dort einnisteten und Be-Pop spielten, den die Amerikaner mitgebracht hatten, Boogie-Woogie auch und Jitterbug. Dann erst kamen die Dichter-Lesungen und die Chansons. Und mitten unter der St. Germain-Schickeria ein dralles Mädchen mit Namen Toutoune, die sich später Juliette Gréco nannte. Nicht nur Sartre und Camus zählten zu den Stammgästen, auch Orson Welles und die Garbo und natürlich die Dietrich. Marlene, die von Paris nicht mehr ließ und die heute auf der noblen Avenue Montaigne eine Wohnung bezogen hat, die sie seit Jahren nicht mehr verläßt. Notizen von gestern. Das Tabou hat ausgedient.

Und Burma, unser Freund Nestor? Der mag das wohl alles im Sinn gehabt haben bei seinen Streifzügen durch die Nächte von St. Germain. Nirgendwo sonst treibt es ihn bei seinen Nachforschungen so häufig in Bars und Cafés wie hier im sechsten Arrondissement. Ins Flore, ins Deux Magots oder ins ‚L'Echaudé' in der gleichnamigen Straße.

Vieles läßt sich wiederfinden. Selbst das Hotel, in das sich Burma (gewohnt keusch) mit dem „kleinen dunkelhaarigen

Das Café Flore

Struwwelpeter" Marcelle zurückzieht, um dort die Leiche von Charlie Mac Gee zu entdecken. Es heißt zwar nicht Diderot-Hotel, aber es steht tatsächlich „hinter der Statue des Enzyklopädisten". Das St. Germain-Viertel läßt sich leicht durchwandern. Es liegt alles nahe beieinander. Die Wege sind kurz. Und immer lädt ein Café zur Pause ein. Als Treffpunkt der intellektuellen Schickeria hat das Sechste freilich längst ausgedient. Wer auf sich hält, hat sich weiter südlich ins Montparnasse-Viertel zurückgezogen oder ist neuerdings auf die andere Seite der Seine, die lange Zeit verpönte Rive Droite abgewandert, auf die rechte Seite der Seine also.

Geblieben sind die unzähligen Kunst- und Antiquitäten-Läden, auch die Buchhandlungen. Die Rue de Seine oder die Rue Jacob sind noch immer allerbeste Adressen. *Man* wohnt noch im Sechsten, wenn auch sehr zurückgezogen. In einer der stillen Passagen zum Beispiel, wie der Passage Dauphine, in die Malet das Cave Bleue hineingedichtet hat. Da mag sich der zeitgenössi-

Der französische Schriftsteller und Philosoph Denis Diderot. Dahinter das Hotel, in dem Burma die Leiche von Charlie Mac Gee fand.

sche Spaziergänger der 80er Jahre kaum noch die Kür einer Miß Müll vorstellen, da sich doch die vorhandene Bausubstanz proper aufgeputzt hat.

Die Passage Dauphine. Hier lag das Nachtlokal „Cave Bleue", in dem die junge Taxi zur Miß Müll gewählt wurde.

Aber die Grundstücks- und Sanierungs-Spekulanten haben sich in den vergangenen Jahren eher auf das Marais auf dem anderen Flußufer konzentriert. Das Sechste war vorher schon teuer. Auch hier ist natürlich vieles nachgebessert worden, aber in der Rue du Pont-de-Lodi zum Beispiel, an der man achtlos vorübergehen mag, der Straße, in der Bernard Lebailly wohnte und dann eben nicht mehr wohnen wollte, da ließe sich noch einiges tun.

Erst recht in der Rue de Nevers, „diesem schmalen, dunklen Schlauch“, dort wo sich heute der Torbogen mit den vielen Inschriften und dem lauten Echo befindet.

Burma, selbst in heiklen Lebenslagen ein Mann mit Sinn für historische Anekdoten, läßt in seiner Erinnerung den längst verschwundenen Turm der Marguerite de Bourgogne wiederauferstehen: „Diese hygienisch bewußte Königin ließ ihre Liebhaber nach Gebrauch von diesem Turm aus in die Seine werfen.“ Andere Quellen schreiben die Nachhilfe zum Pariser Fenstersturz nach getaner Liebesmüh zwar auch willfährigen Kammerdienern zu, vergessen aber nicht zu erwähnen, daß die liebestolle Marguerite schließlich vom eigenen Gemahl im Lotterbett erwürgt worden sei. Dies dramatische Geschehen in der Tour de Nesle läßt sich heute schaurigen Angedenkens nur mehr in der Phantasie nachvollziehen, da der Turm längst vom Erdboden verschwunden und lediglich noch von seinem Grundriß her zu erkennen ist. Den Club de la Botte-Rouge darf man sich hingegen auch heute noch hinter einer Holztür denken, auch wenn das von Burma gesichtete Schild mit dem roten Stiefel fehlt. „Kein Bistro, nichts. Nichts als Häuserwände“. So ist es. Auch heute noch.

Von der engen Rue de Nevers sind es nur ein paar Schritte zum Institut de France und dem Pont Neuf, der sogenannten Neuen Brücke, die heute als die älteste Brücke von Paris zu gelten hat. Es war in der Stadt die erste Brücke, auf die man keine Häuser baute und so wurde sie, nachdem Heinrich IV. sie vor fast 400 Jahren eingeweiht hatte, bald zu einer beliebten Promenade, einem Treffpunkt von Gauklern und Straßenhändlern und schließlich auch der ersten Bouquinisten, die noch heute am Ufer der Seine ihren zumeist wertlosen Trödelkram den Touristen feilbieten.

Im Frühsommer 1985 machte der Pont Neuf erneut Schlagzei-

Blick vom Pont Neuf über die Seine auf den Quai des Orfévres, die Zentrale der Pariser Kriminalpolizei.

len. Der Verpackungskünstler Christo hatte dem kaum weniger publicitybewußten Pariser Bürgermeister Chirac das Zugeständnis abgerungen, die altehrwürdige Brücke in Bausch und Bogen in beiges Tuch einzuwickeln, unter dem Versprechen, daß dem Pont kein Leid geschehe und der chronisch defizitäre Stadtsäckel der Stadt Paris keinerlei Zugaben zu entrichten habe. Verläßlichen Recherchen zufolge hat Herr Christo auch dieses Stoff-Experiment ohne finanzielle Einbußen überstanden und Paris hatte wochenlang eine Attraktion mehr.

Gegenüber der Reiterstatue Heinrichs IV. findet man übrigens ein Bistro, in dem man nicht nur zu erträglichen Preisen einen offenen Wein und allerlei regionale Spezialitäten der französischen Provinz kosten kann, sondern das darüberhinaus auch ein bevorzugter Treffpunkt der Inspektoren vom nahegelegenen Quai des Orfèvres ist. Nestor Burma wäre dort sicher Stammgast gewesen, hätte er nicht fürchten müssen, seinem gefürchtet-geliebten Feind-Freund Florimond Faroux ständig über den Weg zu laufen.

Darum führte ihn der Weg wohl zurück zum nicht weniger belebten Boulevard St.-Germain. Wenn nicht ins Flore, dann eben ins benachbarte Deux Magots. Auch das eines der legendären Pariser Straßencafés mit roten Mahagoni-Bänken und den

„Die langgestreckte Rue de Rennes, die geradewegs auf den mächtigen Turm Montparnasse zuläuft . . .“

irritierenden Spiegelwänden. Noch immer tragen die Kellner ihre bis zum Knöchel reichenden Schürzen unter den eng anliegenden schwarzen Westen und mitten im Lokal thronen über den Köpfen der längst nicht mehr berühmten Gäste die beiden magots, die zwei hölzernen chinesischen Figuren, die dem Lokal seinen Namen verliehen haben. Hemingway und Sartre haben dort gesessen und geschrieben, bis ihnen der Trubel allzu lärmend wurde.

Man mag von dort die geschäftige Rue de Rennes hinaufgehen, „diese seltsame Gerade“, wie Burma empfindet, „die auch bei strahlendem Sonnenschein und 35 Grad im Schatten traurig und kalt aussieht.“ Hier irrt Nestor. Die langgestreckte Rue de Rennes, die geradewegs auf den mächtigen Turm Montparnasse zuläuft, ist eine der lebendigsten Verkehrs- und Geschäftsadern überhaupt in der Stadt. Vielleicht hat Burma sie nicht gemocht, weil tatsächlich bei aller Geschäftigkeit relativ wenige Bistros am Wegesrand liegen.

Auf der Höhe der Rue Blaise-Desgoffe, also da, wo „das Felix-

Das Felix-Potin-Haus in der Rue de Rennes

Potin-Haus mit seinem flaschenförmigen Glockenturm" steht, kann ich mir mit einem flüchtigen Blick nach rechts die Wohnung der besorgten Tante Taxis denken, die ihre „kleine schamlose Nichte" wieder zu Hause wissen wollte. Das Fin-de-siècle-Haus des Einzelhandels-Konzerns Felix Potin spiegelt sich in der gläsernen Fassade vom Buch- und Schallplatten-Zentrum der FNAC. Geschäfte, Geschäfte. Bisness, wie man im neufranzösischen sagt. Auch Nestor ging dort schon seinen zwielichten Geschäften nach. So wie, wenige hundert Meter weiter, am Boulevard Raspail, wo der Versicherungsagent Jérôme Grandier sein

Hinter dieser prächtigen Fassade verbarg sich die Wohnung des Versicherungsagenten Jérôme Grandier.

Zuhause hatte. („in der Nähe des Hôtel Lutétia, im obersten Stockwerk eines prachtvollen Hauses.")

Am Boulevard Raspail, wo Picasso und James Joyce, Simone de Beauvoir und Sartre (wenn auch im zehnten Stock) wohnten, da wandelt sich das intellektuelle sechste Arrondissement bereits und nimmt den Charakter des Siebten an, wo es meist vornehm und diskret zugeht. Das siebte, in dem die diskrete Diplomatie und die vielen Ministerien ihre Heimstatt gefunden haben, war Léo Malet offenbar derart zuwider, daß er es bei der Abfolge seiner ‚neuen Geheimnisse von Paris' mit Mißachtung gestraft und gar nicht erst beschrieben hat.

Also wende ich mich zurück ohne Zorn und streife auf dem Weg zum Jardin du Luxembourg, dem neben dem Monceau-Park wohl elegantesten Garten der Hauptstadt, die Rue des Quatre Vents, die Straße der vier Winde. Eine abermals von den Stadtsanierern bislang mißachtete Straße, in der sich der unglückliche Portier Lebailly zurückgezogen hatte. („In dem schmalen Eingang eines alten abbruchreifen Hauses. Wenn man dem Schild über dem Eingang glauben konnte, befand sich im Hof eine Kunsttischlerei".) Man konnte und man mag es glauben. Und dann fällt es nicht schwer, am Rand des Jardin du Luxembourg in einem der gediegenen Häuser die Wohnung des Germain St. Germain auszumachen. Genau da oder gleich

Am Rande des Jardin du Luxembourg: die Wohnung des zwielichten Schriftstellers Germain St. Germain.

nebenan mag er gewohnt haben. Die Witwe des bereits zitierten Heinrichs IV., Maria von Medici, hatte Anfang des 17. Jahrhunderts Schloß und Garten erworben. Als sie allzu heftig gegen den mächtigen Kardinal Richelieu intrigierte, wurde sie außer Landes gejagt und verbrachte die letzten Jahre ihres Lebens im Exil in Köln. Verarmt und vergessen. Die Vollendung des Palais du Luxembourg, dem sie den Charakter ihrer toskanischen Heimat hatte verleihen wollen, hat sie nicht mehr erlebt. Sehr viel später nach ihrem Tod erst kam ein anderer städtebaulicher Einfall voll zur Geltung. Aus einer langen und breiten Waldschneise, die sie am Stadtrand hatte schlagen lassen, wurde die Prachtallee der Champs-Elysées.

Der Louxemburg-Garten war immer wieder ein bevorzugter Treffpunkt vieler Schriftsteller. Das lag nicht zuletzt wohl auch an der nahegelegenen Closerie des Lilas, in dem so mancher Bourbon oder Pastis Wegbegleiter geflügelter Worte war.

Sicher auch für Nestor Burma, der – nur ein paar Schritte entfernt – den Abgesang auf seinen Streifzug durch das sechste Arrondissement anstimmte: „Ich hatte die Schnauze voll von Saint-Germain-des-Prés und seinen Kellnern und Kellern, die manchmal so tief wie Gräber waren, auf denen die Tannen für die Särge wachsen."

Peter Stephan, im November 1986.

Anmerkungen

1. Kapitel:
Rue de l'Échaudé: échaudé = kochend heiß, verbrüht, verbrannt.
Zweihundert Millionen auf ihrem Bankkonto: Es handelt sich bei allen Geldbeträgen, von denen im Laufe des Romans die Rede ist, um Alte Francs.
Tintin guckt in die Röhre: Wortspiel im Französischen: **faire tintin** = in die Röhre gucken.
Asnières: Stadt im Departement Hauts-de-Seine.

2. Kapitel:
... eine Kugel aus blanker Waffe: Im Französischen heißt „blanke Waffe" (in diesem Fall ohne Schalldämpfer) **arme blanche** (d.h. weiße Waffe).

3. Kapitel:
Jitterbug, Bebop: in Amerika entstandene Jazztänze.
... eine Partie belote: Kartenspiel; wurde früher nur in der Unterwelt gespielt. Vor dem Ersten Weltkrieg von Zuhältern aus Südamerika nach Frankreich „importiert".
Klagelied einer Freischaffenden (Plaignez Nana...):
Beklagt Nana, die heimliche,
die heimliche Freischaffende,
die den Christen in der Rue Christine
ihre niedliche Kinderschnute zeigt.
Ich schlag mich durch im Dreck,
mein Herz inzwischen ein Kieselstein;
dafür aber kein Kies im Haus.
Beklagt Nana, die heimliche,
die heimliche Freischaffende...
Quai des Orfèvres: Sitz der Kriminalpolizei in Paris.
Morgue: Leichenschauhaus in Paris.
Saint-Ouen: Stadt im Departement Seine-Saint-Denis.

4. Kapitel:
... Ich kannte mal einen Ganoven: siehe in derselben Serie den Roman **Marais-Fieber**.

5. Kapitel:
Tour Pointue: Polizeidienststelle im Palais de Justice am Quai de l'Horloge.
Je hais les tours de Saint-Sulpice:
Ich hasse die Türme von Saint-Sulpice
Wenn ich drauf stoße
piss' ich
dagegen

8. Kapitel:
22: Achtung, Polente: Vingt-deux (22)! = bis 1900 in verschiedenen Berufen und in Schülerkreisen als Warnruf üblich, dann als Warnung vor der Polizei unter Ganoven.
S.E.I.T.A.: Service d'exploitation industrielle des tabacs et allumettes = „Staatsbetrieb für Herstellung und Vertrieb von Tabak- und Zündholzwaren".
Nevers: Stadt im Departement Nièvre.

Straßenverzeichnis

N 14	Rue de l'Abbaye
P 12/13	Rue Blaise-Desgoffe
O 14	Rue Bonaparte
Q 13	Rue Bréa
O 14	Rue des Canettes
	Rue du Château-d'Eau (10. Arrondissement)
N 15	Rue Christine
N 14	Rue des Ciseaux
M/N 15	Quai de Conti
O 13	Carrefour de la Croix-Rouge
N 15	Rue Danton
N 15	Passage Dauphine
N 15	Rue Dauphine
N 13/14	Rue du Dragon
N 14	Rue de l'Échaudé
P 13/14	Rue de Fleurus
N 15	Quai des Grands-Augustins
O 14	Rue Guisarde
P 14	Rue Guynemer
N 14	Rue Jacob
O 14	Rue Lobineau
O 14	Rue Mabillon
	Rue des Moulins (1. Arrondissement)
N 15	Rue de Nesles
N 15	Rue de Nevers
P 13 – Q 14	Rue Notre-Dame-des-Champs
O 15	Carrefour de l'Odéon
N 15	Quai des Orfèvres (1. Arrondissement)
	Rue des Petits-Champs (1. Arrondissement)
N 15	Rue du Pont-de-Lodi
O 15	Rue des Quatre-Vents
O/P 13	Boulevard Raspail
O/P 13	Rue de Rennes
N 14	Rue Saint-Benoît
N 14 – O 15	Boulevard Saint-Germain
N 13/14	Rue des Saints-Pères
O 14	Place Saint-Sulpice
O 14	Rue Saint-Sulpice
N/O 14	Rue de Seine
Q 13/14	Rue Vavin
O 14	Rue du Vieux-Colombier